LE GRAND
LIVRE
DE LA PEINTURE
À L'HUILE

LE GRAND LIVRE DE LA PEINTURE À L'HUILE

Histoire, étude, matériel, techniques
thèmes, théorie et pratique de la
peinture à l'huile

par

JOSÉ M. PARRAMÓN

Traduction de Jeanine Lhomme

Bordas

© José M.ª Parramón Vilasaló. Barcelona, 1982.
Titre original de l'ouvrage: "El gran libro de la pintura al óleo".

© Bordas, Paris, 1983, pour la traduction française
I.S.B.N.: 2-04-015332-2
Dépôt légal de la 1ère édition: septembre 1984
Dépôt légal de cette édition: novembre 1985

Imprimé en Espagne par: Gráficas Estella (Navarra) en
septembre 1985.
Dépôt légal: NA-1120-1985
Numéro d'editeur: 785

1

Table des matières

Introduction, 9

Histoire de la peinture à l'huile, 11

L'atelier du peintre, 47
L'atelier du peintre dans le passé, 48
L'atelier du peintre aujourd'hui, 50
Eclairage de l'atelier, 52
Composition de l'atelier, 54
Meubles et accessoires, 55
Meubles d'appoint, 56

Matériel et accessoires, 57
Le chevalet, 58
La palette, 60
Boîtes de peinture, 61
Toiles, cartons, supports, 62
Mesures internationales des châssis, 64
Comment construire un châssis et monter la toile, 66
Les brosses, 68
Entretien des pinceaux ou brosses, 70
Spatules, appuie-main et matériel divers, 71
Diluants et vernis, 72
Couleurs à l'huile, 74
Présentation des couleurs à l'huile, 78
Couleurs à l'huile fluides, 79
Nuancier des couleurs à l'huile, 80
Couleurs d'usage courant, 84

Thérorie et pratique des couleurs, 85
Couleurs de la lumière, 86
Couleurs-pigment, 88
Couleurs complémentaires, 90
La couleur des corps, 92
Comment peindre avec deux couleurs et du blanc, 94
Premier exercice pratique, 95
La construction, 96
Problèmes de construction, perspective, 97
Etude préalable au crayon, 98
Premier état, 99
Deuxième état, 100
Dernier état, 101
Emploi et abus du blanc, 102
Emploi et abus du noir, 104
La couleur des ombres, 106
L'harmonisation de la couleur, 108
Gamme des couleurs chaudes, 110
Gamme des couleurs froides, 112
Gamme des couleurs rabattues, 114
La couleur chair, 116
Contrastes de ton et de couleur, 118

L'auteur désire exprimer sa reconnaissance aux personnalités et entreprises suivantes pour leur collaboration et l'aide précieuse qu'elles ont bien voulu lui apporter: Vicente Piera de la société "Artículos de bellas artes Vicente Piera", pour toutes les informations concernant le matériel et son utilisation; Paco Vila Masip pour la qualité de ses photographies; Eduard Tharrats de "Fotocomposición Tharrats" pour le travail qu'il a accompli dans des délais très courts; Salvador Gonzáles, Eduard José, Jordi Segú, Mercedes Ros et tous les collaborateurs de Parramón Ediciones, S.A." Nous tenons également à remercier Monsieur D. Sennelier pour son aimable collaboration à l'édition française.

2

La peinture à l'huile: technique et métier, 121
Apprendre à voir et à mélanger les couleurs, 122
Mélange de trois couleurs et du blanc, 123
Composition des couleurs chaudes, 124
Composition des couleurs froides, 127
Composition des couleurs rabattues, 130
Comment peindre un tableau avec trois couleurs et du blanc, 133
Deux heures et demie pour peindre un tableau, 138
Comment peindre en plusieurs séances, 140
Comment peindre un tableau au couteau, 143

On peint comme on dessine, 145
La forme, le volume, 146
La perspective nécessaire, 150
Choix du thème et interprétation, 154
Composition artistique, 156

La peinture à l'huile dans la pratique, 161
Comment peindre une figure, 162
Comment peindre un paysage urbain, 169
Comment peindre une marine, 173
Comment peindre un paysage, 178
Comment peindre une nature morte, 182

Glossaire, 188

Fig. 3.— Tableau de l'auteur, José M. Parramón, présenté dans l'un de ses ouvrages, *Comment peindre le paysage,* exemple de peinture *alla prima.*

introduction

Ingres énonça un jour, à l'intention de ses élèves, cette simple règle de bon sens:

«C'est en dessinant que l'on apprend à dessiner».

Conseil fort judicieux, à mon sens, et d'une efficacité certaine, car rien n'est aussi formateur que l'exercice; je suis un partisan convaincu de l'apprentissage par la pratique; j'estime qu'il faut se salir les mains, faire et refaire sans cesse, "dessiner cent fois le poêle de l'atelier", selon la méthode préconisée par Cézanne.

Mais alors pourquoi —me suis-je maintes fois demandé—, pourquoi écrire des livres d'initiation au dessin et à la peinture?

Je puis maintenant fournir deux réponses à cette question:

Il y a fort longtemps, à l'âge de quatorze, quinze ans, je fis la connaissance d'un peintre majorquin, du nom de Forteza, qui exécutait de merveilleuses marines: petites criques d'Ibiza et de Minorque dont le ciel et l'eau étaient d'un bleu transparent, lumineux. "Comment faites-vous, monsieur Forteza, pour obtenir un bleu aussi lumineux?» Il me répondit par une autre question: «Quels bleus utilises-tu pour peindre?» «L'outremer et le bleu de Prusse» —lui répondis-je. «Et le bleu de cobalt? Il est absolument indispensable pour donner de la luminosité!» A dire vrai, c'était la première fois de ma vie que j'entendais parler d'un bleu *de cobalt.*

Il y a un an et demi environ, mon ami Piera, dans la boutique duquel dessinateurs et peintres trouvent toutes leurs fournitures, me parla de pinceaux en poil synthétique: «Ils sont extraordinaires —me dit-il—, ce sont les pinceaux de l'avenir: ils sont moins coûteux et d'une excellente adhérence. On ne les trouve pas encore sur le marché, mais quand on les connaîtra...»

Ces deux amis sont comme les paragraphes de ce livre: ils expliquent, informent, précisent les différences entre bleu d'outremer et bleu de cobalt, entre un pinceau en soie de sanglier et un pinceau en poil synthétique; ils révèlent, en outre, l'existence de pinceaux en poil de martre ou encore de mangouste. (Presque tout le monde connaît les pinceaux en poil de martre, mais en poil de mangouste... vous connaissez, vous?)

Les livres, en outre, peuvent expliquer un processus et en suivre les différentes phases. Ainsi, cet ouvrage propose un bref historique de la peinture à l'huile, considérée d'un point de vue technique. Je pense, pour ma part, que cette approche vous permettra en outre d'élargir vos connaissances des techniques de la peinture à l'huile en général; à mon avis, il est bon de savoir comment peignaient Titien, Rubens, Rembrandt, Vélasquez et d'apprécier leur contribution respective au perfectionnement des techniques primitives.

Et il est utile de savoir à quoi ressemble un atelier de peintre professionnel, son matériel, ses divers accessoires et la manière de s'en servir —matériel et matériaux, de l'*appuie-main* traditionnel à la *peinture à l'huile fluide,* présentée dans des godets de métal.

Il est utile de connaître certains aspects techniques: la craquelure et la formule *gras sur maigre,* l'harmonisation et les gammes de couleurs, ce que l'on entend par couleurs *rabattues*[1] et leur usage.

Et il convient de s'exercer, d'apprendre par la pratique, d'apprendre à peindre en peignant, grâce à des exercices commentés pas à pas, grâce aux photographies des divers états du tableau (premier, deuxième, troisième), révélant une technique et encourageant l'exercice.

Cependant, je partage l'opinion d'Ingres; ni mes amis, ni les paragraphes de cet

---

1- Ou tons cassés.

ouvrage ou de n'importe quel autre ne servent à quelque chose, si l'on ne prend pas son bloc de papier à dessin pour y dessiner, son chevalet et sa toile pour y peindre. Je suis d'accord avec lui:

C'est en peignant que l'on apprend à peindre.

Alors, allez-y, peignez. Je connais beaucoup d'amateurs qui ont commencé un jour à peindre grâce à l'un de ces livres, et qui sont aujourd'hui peintres. J'en connais d'autres qui, n'ayant pas persévéré, ne s'étant pas exercés quotidiennement, ont fini par abandonner. Peindre doit être ressenti comme une nécessité. Il ne faut jamais remettre au lendemain, il faut s'exercer chaque jour!
On raconte qu'un ami de Corot, peintre amateur, alla le voir un jour pour lui montrer une toile. «C'est bien —dit Corot— mais tu devrais recommencer et donner davantage d'intensité à cette partie-là.» «Tu as raison —lui répondit l'ami— je le ferai demain». Inquiet, Corot le regarda: «Comment, demain, tu vas attendre demain? Et si tu meurs aujourd'hui?»

José M. Parramón

Fig. 4.— Corot, *Le chemin de Sèvres*. Musée du Jeu de Paume. Louvre, Paris.

Fig. 5.— Botticelli, *La naissance de Vénus* (détail). Galerie des Offices, Florence.

histoire
de la
peinture
à l'huile

les techniques picturales antérieures au XVᵉ siècle

Jusqu'à Giotto, la peinture n'existe pas. Disons plutôt, mais cela revient au même, qu'au Moyen Age, du IVᵉ au XIIIᵉ siècle, l'art de la peinture cessa d'exister; la représentation de la figure* humaine était schématique, disproportionnée, irréelle. hiératique. En Occident, du VIᵉ au VIIIᵉ siècle, les populations quittèrent les villes pour la campagne et les rois durent se réfugier sur leurs terres, pour échapper aux Barbares. «A cette époque —écrit l'historien Harnold Hauser— personne n'est capable de peindre une figure humaine».

Au XIᵉ siècle, apparaît l'art roman: la peinture demeure impersonnelle, hiératique; mais dans le roman tardif, on perçoit déjà une forme d'expression plus libre et plus individuelle. C'est le prélude au gothique.

A partir du XIIᵉ siècle, l'activité reprend à la ville, l'artisanat et le commerce donnent naissance à une nouvelle bourgeoisie. L'artiste appartient à une corporation; il ne travaille plus exclusivement dans les églises, sous la direction de moines architectes. Il exécute désormais les commandes dans son propre atelier, il est maître de son temps et de son matériel; il peut donner libre cours à son imagination et aborder tous les thèmes.

En Italie apparaît Giotto (1276-1337), qui peint des figures, des objets, des scènes proches du réel. A l'époque, on peint à la *détrempe à l'œuf,* sur panneau de bois.

Jusqu'en 1410, les artistes peignaient à la détrempe qui servait indistinctement à la peinture des miniatures, des illustrations de manuscrits et de missels, des tableaux, retables, icônes, panneaux décoratifs et fresques. Quelques artistes avaient remarqué qu'en appliquant une couche d'huile de lin sur un tableau peint à la détrempe, les couleurs étaient ravivées et retrouvaient l'intensité et l'éclat de la peinture fraîche. Certains essayèrent de mélanger de l'huile de lin et du jaune d'œuf. Le moine Théophile Rugierus écrivit en 1200 un traité de peinture, *Diversarum Artium Schedula,* dans lequel il recommandait l'usage de l'huile de lin et de la gomme arabique, aussi nommées *glassa* ou *fornis.* Mais ces procédés présentaient un inconvénient: huiles et vernis composés de la sorte, séchaient mal et exigeaient une longue exposition au soleil, qui risquait d'altérer la peinture, de noircir les couleurs et de jaunir les blancs.

* Dans le langage artistique, ce mot désigne un personnage.

Fig. 6.— Giotto, *La rencontre de sainte Anne et de Joachim à la Porte dorée.* Chapelle des Scrovegni, Padoue. Giotto, fondateur de la peinture moderne, avec Cimabue, fit preuve d'un réalisme et d'une force créatrice inconnus jusqu'alors, après la longue nuit du Moyen Âge.

Fig. 7.— Au XVᵉ siècle, l'artiste peignait sur un pupitre —comme on peut le voir sur cette gravure— spécialement conçu pour des panneaux de petites ou moyennes dimensions.

Qu'est-ce que la peinture à la détrempe à l'œuf

Les artistes de l'Antiquité, du Moyen Age et du début de la Renaissance utilisaient des couleurs à la *détrempe à l'œuf*, à base de pigments ou couleurs réduites en poudre, liés par une substance liquide composée comme suit:

*un œuf frais
et une égale quantité d'eau distillée.*

La technique de la peinture à la détrempe est comparable à celle de la tempera ou gouache. Selon la dilution plus ou moins grande des couleurs dans la formule liquide que nous venons de mentionner, la peinture à la détrempe peut être assez épaisse, donc opaque, couvrante, ou bien transparente, en *glacis*. A propos des différents types de couleurs, permettez-moi de rappeler que toute peinture se compose, comme la détrempe, de colorants et d'un *medium* ou *émulsion* qui lie les colorants. Ainsi, dans une petite barre de couleur à la cire, un tube d'aquarelle et un tube de peinture à l'huile, tous trois couleur bleu de cobalt, le colorant est le même, *oxyde de cobalt et alumine*, mais l'émulsion liante est différente dans chaque cas: cire dans le premier, substances aqueuses dans l'aquarelle, huiles et essences dans la peinture à l'huile. D'où l'on peut déduire que:

*L'émulsion détermine
le type de peinture.
L'émulsion détermine
la technique picturale.*

Fig. 10.— De l'eau distillée et un œuf frais sont les ingrédients servant à lier les pigments colorés, dans la peinture à la tempera.

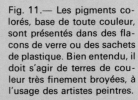

Fig. 11.— Les pigments colorés, base de toute couleur, sont présentés dans des flacons de verre ou des sachets de plastique. Bien entendu, il doit s'agir de terres de couleur très finement broyées, à l'usage des artistes peintres.

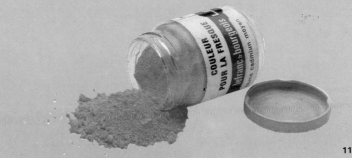

Fig. 8.— (Ci-dessus) —Art médiéval— *Christ en majesté* (détail). Valltarga, Roussillon, France.
Fig. 9.— Duccio, *La Vierge à l'Enfant avec deux anges* (détail). Musée de la Cathédrale, Sienne. Duccio di Buoninsegna fut l'un des premiers artistes de l'Ecole de Sienne, à la fin du XIIIᵉ siècle.

la découverte de jan van eyck

Un jour de 1410, dans le nord de la Belgique, à Bruges, capitale des Flandres occidentales, un jeune peintre de vingt ans, nommé Jan Van Eyck, mit à sécher au soleil un tableau peint à la détrempe et traité avec des huiles, comme le recommandait le moine Théophile. Au bout de deux jours, allant vérifier l'état de séchage du tableau, il constata que la peinture s'était craquelée.

Selon la légende, Jan Van Eyck s'efforça dès lors de trouver une huile qui séchât à l'ombre. Après des mois de recherches, ayant essayé différentes huiles et résines, il finit par découvrir que le mélange d'une petite quantité de «vernis blanc de Bruges» et d'huile de lin permettait de laisser sécher les peintures à l'ombre sans aucune difficulté. (Des recherches ultérieures ont révélé que le «vernis blanc de Bruges» était de l'*essence de térébenthine,* semblable à celle utilisée de nos jours pour diluer les couleurs à l'huile.)

Jan Van Eyck commença alors à utiliser le vernis blanc de Bruges et l'huile de lin pour lier les terres de couleur dont il se servait pour peindre à la détrempe et il fit les constatations suivantes: les couleurs réagissaient mieux, le temps de séchage variait en fonction de la quantité de vernis blanc de Bruges utilisée; il pouvait poser des glacis *maigres* (sans adjonction d'huile de lin) ou *gras* (comportant une quantité d'huile supérieure à celle du vernis blanc de Bruges); il pouvait rectifier ou reprendre l'œuvre pendant que les couleurs séchaient, sans risque de les diluer; les couleurs gardaient toute leur fraîcheur et enfin, le tableau séchait à l'ombre sans aucun problème.

Jan Van Eyck avait découvert la peinture à l'huile.

L'Ecole flamande

Jan Van Eyck, plus connu à l'époque sous le nom de «Jan de Bruges», avait un frère: Hubert Van Eyck, également peintre. Les frères Van Eyck travaillèrent ensemble, dans le même atelier, jusqu'en septembre 1426, date de la mort de l'aîné, Hubert. Son frère Jan acheva le célèbre et monumental *Poliptique de l'Agneau mystique,* en 1432, et peignit désormais les oeuvres qui devaient assurer leur renommée. Jan Van Eyck avait une personnalité exceptionnelle. A l'âge de trente ans, il prit la tête d'un mouvement de révolte contre les préjugés et les conventions de la peinture gothique, proclamant et répandant l'idée que "hommes et femmes, arbres et champs devaient être peints tels qu'ils sont réellement». Mettant en pratique cette philosophie, Jan Van Eyck parvint à convaincre plusieurs artistes de son temps, parmi lesquels le Maître de Flemalle, le fameux Van der Weyden, le jeune Petrus Christus... tous Flamands, qui, dès lors, s'efforcèrent d'adopter le style réaliste et naturaliste préconisé par Jan de Bruges. Le groupe donna naissance à la célèbre Ecole flamande dont les disciples et les héritiers furent tour à tour Bouts, Van Goes, Memling, Jérôme Bosch, Breughel l'Ancien, Rubens, Van Dyck, Jordaens, Rembrandt.

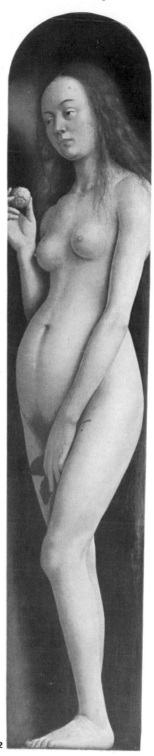

12

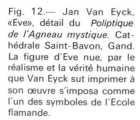

13

Fig. 12.— Jan Van Eyck, «Eve», détail du *Poliptique de l'Agneau mystique.* Cathédrale Saint-Bavon, Gand. La figure d'Eve nue, par le réalisme et la vérité humaine que Van Eyck sut imprimer à son œuvre s'imposa comme l'un des symboles de l'Ecole flamande.

Fig. 13.— En 1400, en Flandres, la mode féminine conditionnait, d'une certaine manière, la conformation du corps de la femme: épaules étroites et ventre rond, comme nous pouvons le voir sur la figura 14, reproduite ici sous forme de schéma.

Fig. 14.— Jan Van Eyck, *Portrait de Giovanni Arnolfini et de son épouse.* National Gallery, Londres. L'un des tableaux les plus célèbres de l'Ecole flamande du XVᵉ siècle. Observez l'exceptionnelle qualité du fini que nous pourrions aujourd'hui qualifier d'hyper-réaliste. Et songez qu'elle s'obtenait grâce à l'application de couches successives de couleur ou de glacis.

comment peignaient les van eyck

En 1437, à Florence, on condamna à la prison pour dettes un vieux peintre d'environ quatre-vingts ans. Il se nommait Cennino Cennini et il dut à ces circonstances sa réputation d'érudit et de maître: pendant son séjour à la prison de Florence, il écrivit un ouvrage *Le livre de l'art ou Le traité de la peinture,* répertoire de toutes les techniques et de tous les procédés, matériaux et styles en usage aux XIVᵉ et XVᵉ siècle. Grâce à Cennino Cennini, nous pouvons savoir comment peignaient Jan Van Eyck et les artistes de l'Ecole flamande.

A cette époque, quelques artistes avaient déjà essayé de peindre sur toile, mais la plupart peignaient sur de grands panneaux de bois enduits de colle. Cennini écrit: «Tu choisiras un panneau de tilleul ou de saule sans défaut. Tu prendras de la colle à base de rognures de parchemin et tu la feras bouillir jusqu'à réduction des deux tiers. Tu passeras cette colle sur la paume de ta main et lorsque tu sentiras tes deux paumes coller l'une à l'autre, tu sauras que la colle est bonne...». Et Cennini de poursuivre ses instructions, que l'on peut résumer ainsi: on appliquait sur le panneau six couches de colle et quelques bandes de toile de lin usagée. On mettait le panneau à sécher et on y appliquait ensuite une couche de plâtre Volterra et de colle. Nouveau séchage et nouvelles couches de *Gesso Sottile.* On le polissait enfin avec de la poudre de charbon et de pierre ponce, jusqu'à obtention d'un fini blanc, dur et lisse comme l'ivoire. Sur ce panneau, dont la préparation minutieuse prenait plusieurs jours (la couche de colle et de plâtre atteignait deux à cinq millimètres d'épaisseur), Jan Van Eyck et les artistes de son temps employaient la technique de peinture à l'huile suivante:

Ils commençaient la construction du tableau par une esquisse au fusain: «Tu prendras le charbon de saule et tu dessineras petit à petit. Puis, tu repasseras sur le dessin avec un pinceau effilé, trempé dans l'essence et dans cette couleur nommée *verdaccio* à Florence» (Cennini). Le *verdaccio* était un mélange de blanc, de noir et d'ocre.

15

Fig. 15.— Jan Van Eyck, *Sainte Barbe.* Musée Royal des Beaux-Arts, Anvers. Exemple de la préparation minutieuse d'un panneau avant l'application de la couleur, par superposition de fins glacis. L'image reproduite ci-dessus représente en surface environ la moitié du tableau original. Il est évident que les artistes de l'époque réalisaient, sur les panneaux mêmes, un véritable travail de miniaturistes.

Fig. 16.— Van Eyck, *La Madone de Lucques.* Städelsches Kunstinstitut, Francfort.

Une fois ce dessin terminé, le tableau avait l'aspect de la reproduction ci-contre, celui de la *Sainte Barbe* (fig. 15), laissée inachevée par Van Eyck.

On appliquait sur ce dessin un fin glacis de la même couleur *verdaccio,* en ménageant ombres, lumières et reflets, pour obtenir un parfait lavis monochrome. Dans certains cas, prévoyant l'application ultérieure d'une couleur vive (une draperie d'un rouge intense, par exemple), l'artiste laissait le seul dessin initial sans y appliquer de lavis verdaccio.

Il commençait par peindre les drapés, puis les formes architecturales, les paysages, etc., laissant visages et carnations pour la fin. Un tel ordre permettait de commencer à peindre les visages sur une toile déjà entièrement couverte de couleurs et de réduire ainsi les effets de contrastes simultanés dont nous traiterons plus loin. A chaque couleur correspondaient trois teintes; ainsi, pour un drapé de couleur rouge, on préparait un rouge, celui même du drapé (couleur *locale*)[1] ; une seconde teinte, rouge sombre, pour les ombres du drapé (couleur *tonale foncée*); et une teinte rouge clair pour les surfaces éclairées (couleur *tonale claire*).

Fig. 17.— Sur la grisaille initiale peinte en *verdaccio,* l'artiste posait un ou plusieurs glacis de la couleur locale du drapé.

Fig. 18.— Il appliquait la seconde teinte d'un rouge plus ou moins foncé, et ménageait les ombres.

Fig. 19.— Il appliquait enfin une teinte rouge plus claire mêlée de blanc, pour marquer les effets de lumière.

Van Eyck et ses disciples peignaient avec ces couleurs comme nous peignons actuellement à l'aquarelle, c'est-à-dire en fins glacis (lisez page suivante l'étude consacrée à la technique des glacis), ou minces couches de couleur, plus ou moins transparentes, selon la quantité d'huile et d'essence, le blanc du fond jouant le rôle du blanc du papier dans la peinture à l'aquarelle.

L'artiste peignait une partie de la toile, puis une autre. Il peignait, par exemple, le manteau de la Vierge; à supposer que ce dernier fût rouge, il commençait par un glacis de la teinte rouge de la couleur locale; ce glacis couvrait le blanc du fond, mais laissait voir par transparence le tracé du dessin initial qui, en assombrissant le rouge, donnait déjà un léger volume (songez à l'aquarelle). Sur ce premier glacis rouge, Van Eyck appliquait la seconde teinte, rouge sombre, et ménageait les ombres du drapé, en fondu et dégradé, pour modeler le volume créé par les plis du vêtement. Enfin, à l'aide du rouge clair, il soulignait les reflets et effets de lumière du drapé.

Après cette première phase d'exécution, l'artiste peignait le visage et la carnation des personnages, qui n'avaient encore que la patine du verdaccio. Il étendait sur cette surface monochrome les trois teintes chair —en glacis transparents, bien sûr— qui, combinant les différentes valeurs de rose au verdaccio brun verdâtre, visible par transparence, offraient toutes les nuances de la couleur chair.

L'œuvre s'achevait par un minutieux et patient travail de rehauts et finitions, grâce à des glacis de couleur claire et même blancs, sans exclure le brun foncé et le noir.

On faisait ensuite sécher le tableau pendant plusieurs jours et on le vernissait.

1- Se reporter à la page 92.

la technique des glacis

La technique des glacis

Un glacis est une couche transparente de peinture à l'huile, appliquée au pinceau, destinée à servir de base à une couleur ou à en reprendre une, déjà posée. Le glacis se compose de peinture à l'huile diluée dans de l'huile de lin et de l'essence de térébenthine. Le mélange obtenu doit être fluide: La technique d'application du glacis est semblable à celle de l'aquarelle: elle consiste essentiellement à étendre ces couches successives de couleur jusqu'à obtention de la nuance souhaitée.

Elles présentent cependant une différence notable: alors que le bon aquarelliste tente d'obtenir la couleur voulue dès l'application de la première couche, le peintre de glacis doit y parvenir grâce à la superposition de plusieurs couches ou glacis pour obtenir ainsi la transparence, la luminosité et la richesse de coloris propres aux glacis à l'huile.

Un glacis lumineux exige un fond clair. Un vêtement rouge brillant, peint en glacis, doit être appliqué sur du blanc ou sur fond clair.

S'il est appliqué sur une surface humide, la couleur du dernier glacis se mêle à celle du glacis antérieur et perd en intensité (couleurs embues); il peut aussi être étendu sur une surface sèche ou à demi-sèche; il conserve alors, par transparence et superposition, toutes ses qualités et son éclat.

En tout cas, on ne doit jamais poser un glacis *maigre* sur un glacis *gras*, c'est-à-dire un glacis comportant beaucoup d'essence de térébenthine et peu d'huile (maigre) sur un glacis comportant une grande quantité d'huile et peu d'essence (gras): cela risquerait de provoquer des craquelures de la couche supérieure (nous étudierons plus loin la règle du *gras sur maigre*).

Fig. 20 et 21. — Mantegna-*Vierge à l'Enfant endormi* Staatliche Museen, Berlin. A droite, reproduction du tableau inachevé de Mantegna (fig. 21) à une phase un peu plus avancée que la *Sainte Barbe* de la page 16. Notons que Mantegna a peint ici sur toile: la trame est visible sur la reproduction. Observez l'extraordinaire qualité du lavis en *verdaccio*. Sur la figure 20, j'ai commencé à appliquer moi-même, sur le visage et le cou de la Vierge, le processus des glacis et j'ai constaté qu'il s'agissait d'un travail difficile, exigeant beaucoup de métier, et d'une extrême lenteur. Ce métier —je ne le possède pas, j'en conviens, car il s'acquiert par la pratique— permettait d'obtenir des résultats étonnants et donnait à l'œuvre un aspect de laque ou d'émail qui, à l'époque, devait être réellement merveilleux.

21

comment peignait léonard de vinci

Jan Van Eyck mourut en 1441.

Des années plus tard, le peintre de l'Ecole flamande, Juste De Gand, qui enseigna à Anvers et à Gand, partit pour Rome, où son influence incita les artistes de Rome et de Florence —parmi lesquels Léonard de Vinci— à mettre en pratique les techniques de peinture à l'huile propres aux Flamands.

Léonard de Vinci, on le sait, n'était pas seulement peintre, mais aussi sculpteur, ingénieur, médecin, inventeur... rien d'étonnant, par conséquent, à ce que toute sa vie, il ait essayé et expérimenté toutes sortes de formules dans la préparation des supports (huiles, résines et vernis). Certaines de ces expériences eurent pour lui de fâcheuses conséquences: comme celle de *La Cène*, peinte à l'huile sur un mur de plâtre et dont la peinture commença à se détériorer avant la mort du peintre.

Mais Léonard de Vinci fut un des maîtres universels de la Renaissance, considéré, avec Michel-Ange et Raphaël, comme l'un des trois grands créateurs de la haute Renaissance du XVIᵉ siècle. Sa manière était tout à fait personnelle; il avait une parfaite maîtrise du *sfumato* et du clair-obscur; modelant des volumes dans l'ombre et la pénombre, jouant des passages de la lumière à l'ombre pour rendre les plus subtiles nuances...

De toute évidence, Léonard de Vinci connaissait les techniques picturales de Van Eyck. Deux de ses tableaux en portent d'ailleurs témoignage.

Vous pouvez les voir reproduits page suivante: en haut à gauche (fig. 25), dans le tableau intitulé *Saint Jérôme:* la figure du saint, face à un lion, sur un fond de rochers et un paysage, à gauche, dans cette sorte d'ouverture découpée dans la masse rocheuse.

C'est une oeuvre inachevée, pour laquelle Léonard de Vinci, fidèle à la technique des Van Eyck, suivit le processus suivant: 1°/ Il esquissa le thème et tous les éléments du tableau, en *verdaccio* sombre. 2°/ Il ébaucha, dans ce même *verdaccio,* mais dilué dans de l'huile et de l'essence, la figure de saint Jérôme. (L'illustration ci-contre montre que ce personnage semble peint à l'aquarelle. Aucun autre élément du tableau ne paraît avoir été peint à l'aide de ce procédé monochrome: le lion, par exemple, se trouve encore au premier stade, celui du dessin linéaire.) 3°/ Léonard de Vinci peignit dans un ton brun sombre, et en étendant plusieurs glacis, le fond rocheux, le siège de saint Jérôme et le

Fig. 22. — Léonard de Vinci *Autoportrait.* Sanguine. Bibliothéque Royale, Turin.

Fig. 23. — Léonard de Vinci. *La Joconde* (détail). Musée du Louvre, Paris.

Fig. 24. — Cesare da Sesto, dit le Milanais, *La Léda.* Réplique de la *Léda* de Léonard de Vinci (détail). Galerie Borghèse, Rome.

sol. 4°/ Il posa quelques premiers glacis de couleur dans le fond, partie supérieure gauche, peignit le ciel, profila des rochers et délimita ce qui serait probablement devenu un horizon marin.

Et il s'arrêta là.

Observez à présent, sous le *Saint Jérôme,* le tableau intitulé *La Vierge et l'Enfant avec sainte Anne et saint Jean-Baptiste,* étude préliminaire à l'exécution de l'oeuvre. L'analyse du tableau *in situ* m'a permis de faire les observations suivantes: curieusement, un examen attentif de l'œuvre révèle l'état de détérioration du support qui présente de petites aspérités et laisse supposer que Léonard de Vinci peignit d'abord sur une toile, collée ensuite sur panneau, afin d'en assurer la conservation. Le tableau offre l'aspect d'une esquisse au fusain sur laquelle furent appliquées plusieurs séries de glacis, exécutés à l'aide de verdaccio, de Sienne foncée et de noir; quelques traits de fusain furent estompés au doigt, afin de créer des effets de grisés et de dégradés. Cette harmonie d'ensemble des valeurs tonales, telle que nous pouvons l'apprécier dans la fig. 26, ci-contre, fut ensuite enrichie par l'application de glacis de couleur claire (observez le visage de la Vierge, fig. 27). Sur ce fond de dessin et de peinture, nous pouvons également l'affirmer, Léonard de Vinci dessina à nouveau, soulignant les contours au fusain, ajoutant même, en certains points du tableau, de légères touches de verdaccio et de Sienne foncée.

Léonard de Vinci, nous le constatons ici, ne se conformait pas strictement à la tradition flamande (comparez ces reproductions à la *Sainte Barbe* de la fig. 15); il ne se soumettait pas à des normes rigides, sa manière était plus libre et plus spontanée, comme en témoigne cette étude qui, par son style et sa facture, pourrait être l'œuvre d'un artiste actuel.

25

27

Fig. 26 et 27. — Léonard de Vinci, *La Vierge et l'Enfant avec sainte Anne et saint Jean-Baptiste*. Les dimensions originales de cette œuvre, exposée à la National Gallery de Londres, sont de 159×101 cm, c'est-à-dire plus d'un mètre et demi de haut sur un mètre de large. La contempler dans son musée permet de comprendre la technique de Léonard de Vinci, sa manière de construire, de choisir le coloris, d'étudier les valeurs, les effets d'ombre et de lumière; en un mot, c'est recevoir une leçon directe et magistrale de ce maître de la Renaissance, Si vous allez à Londres, je vous conseille vivement d'aller voir ce tableau.

26

Fig. 25.— (Ci-dessus) Léonard de Vinci, *Saint Jérôme*. Pinacothèque du Vatican, Rome.

comment peignait michel-ange

Presque tout le monde connaît Giorgio Vasari, né à Arezzo en 1511, peintre, sculpteur et architecte.

Mais, plus qu'à ses œuvres d'art, Vasari doit sa renommée à un livre publié en 1550, à l'âge de trente-neuf ans, intitulé: *Le Vite de più eccellenti Architetti, Pittori e Scultori Italiani,* remarquable chronique, bien documentée, de la vie et des œuvres des artistes, de la Rome antique à Michel-Ange.

Vasari était un admirateur passionné de Michel-Ange Buonarroti et il termina son livre par la biographie du maître, cette biographie étant la première et la seule qui soit consacrée à un artiste vivant... «fidèle reflet du plus grand des sculpteurs, peintres, dessinateurs et architectes qui aient jamais existé».

Michel-Ange était indéniablement un artiste exceptionnel: il suffit, pour s'en convaincre, de se rappeler les peintures de la chapelle Sixtine, l'architecture de la Coupole de Saint-Pierre, et la *Pietà* de Saint-Pierre ou le *Moïse,* en ce qui concerne la sculpture; Michel-Ange était vraiment l'archétype du génie.

La vie de Michel-Ange Buonarroti écrite par Vasari nous apprend que le maître accordait une grande importance aux techniques picturales. Avant d'entreprendre les fresques de la chapelle Sixtine, par exemple, il s'avisa qu'il ne connaissait pas la technique de la fresque et demanda l'aide de quelques fresquistes chevronnés qui lui permirent d'apprendre le métier et dont il se sépara d'ailleurs très vite, sous prétexte qu'ils ne lui servaient plus à rien. (Buonarroti, on le sait, avait très mauvais caractère.)

Quant aux peintures à l'huile, toutes sur panneaux de bois, Michel-Ange en entreprit plusieurs et n'en termina que très peu. L'une d'elles révèle, à elle seule, quel peintre extraordinaire il fut; il s'agit de *La Sainte Famille* (fig. 32) dont on peut découvrir la technique d'exécution à partir de ces deux œuvres inachevées: *La Vierge et l'Enfant avec saint Jean-Baptiste enfant et quatre anges* (fig. 33) et *La mise au tombeau* (fig. 34). L'état d'inachèvement de ces deux tableaux nous permet de reconstituer les techniques de Michel-Ange, lorsqu'il peignait à l'huile.

Michel-Ange peignait sur panneau; il appliquait tout d'abord une couche de gesso, sur laquelle il dessinait ensuite au pinceau fin, imprégné de couleur à l'huile grise évoquant le trait de fusain. Puis il posait sans doute le verdaccio des visages et des chairs, procédé

Fig. 28.— Michel-Ange, *La création de l'Homme.* Détail du plafond de la chapelle Sixtine, Vatican, Rome.

Fig. 29.— Michel-Ange, *Coupole* de Saint-Pierre de Rome.

Fig. 30.— Michel-Ange, *Pietà,* détail: *Nicomède.* Cathédrale, Florence.

Fig. 31.— Michel-Ange, *Moïse.* Statue du Mausolée de Jules II. San Pietro in Vincoli. Vatican, Rome.

utilisé également dans le tableau intitulé *La Vierge et l'Enfant avec saint Jean-Baptiste enfant et quatre anges,* pour peindre le ciel, en un dégradé obtenu par glacis, sans ajouter de blanc dans les parties claires. D'autres surfaces du tableau étaient peintes en verdaccio, telle la peau de bête dont est revêtu le petit ange du centre ou encore le sol, etc. Sous les cheveux —notez-le— il n'y avait pas de fond verdaccio, ils étaient peints directement dans la couleur voulue. La courte tunique du petit ange du centre est peinte en glacis, dans les tons blancs et gris, se détachant sur la couleur chair. Pour les drapés des anges plus grands et de la Vierge, grenat et noirs, il semble que Michel-Ange ait suivi le processus suivant: il commença par peindre les ombres dans la couleur tonale, très épaisse, très foncée, puis posa des glacis de la couleur locale comportant très certainement du blanc, pour rendre les parties éclairées. Ainsi le drapé de la Vierge fut-il tout d'abord traité en glacis noirs et gris, proches de l'aquarelle; ensuite, sur cette base de valeurs tonales, Michel-Ange appliquait la couleur même du drapé (en ce cas, il aurait très certainement choisi le bleu, identique à celui de la Sainte Famille).

Etudions maintenant *La mise au Tombeau* (page suivante, fig. 34); nous constatons, en premier lieu, que Michel-Ange, comme d'autres artistes de la Renaissance, ne peignait pas suivant des normes fixes. Dans ce tableau-ci, par exemple, Michel-Ange a peint les chairs sans appliquer auparavant de couleur verdaccio; pour les drapés, il commença par peindre les surfaces dans l'ombre, de la couleur tonale très sombre, puis traita ensuite les parties les plus éclairées du modèle dans la couleur locale, parfois mêlée à du blanc opaque (la figure vêtue de rouge, à droite de Jésus-Christ, permet d'étudier ce processus). Mais, non content de mettre en oeuvre un tel procédé, commun également au tableau précédent: *La Vierge et l'Enfant avec saint Jean-Baptiste enfant et quatre anges,* il peint dans celui-ci des drapés dont la teinte de base est le Sienne foncé et qui surprennent par rapport à la méthode utilisée précédemment. Enfin, Michel-Ange, comme les artistes flamands, travaillait en fractionnant son oeuvre; il lui arrivait d'achever complètement un visage, par exemple, sans même avoir ébauché une autre partie du modèle.

Fig. 32.— Michel-Ange, *La Sainte Famille (Tondo Doni).* Galerie des Offices, Florence.

Fig. 33.— Michel-Ange, *La Vierge et l'Enfant avec saint Jean-Baptiste enfant et quatre anges.* National Gallery, Londres.

michel-ange et raphaël

Ouvrons ici une parenthèse pour évoquer brièvement l'hypothèse émise selon laquelle Raphaël peignait en utilisant des techniques soit identiques, soit très semblables à celles de Michel-Ange. Lorsque Michel-Ange peignit *La Sainte Famille* (fig. 32), Raphaël avait à peine vingt ans. C'est à cet âge qu'il exécuta son œuvre célèbre, *Le mariage de la Vierge* (fig. 36). Cinq ans plus tard, le pape Jules II fit appel à lui et il devint rapidement le peintre du Vatican. Michel-Ange travaillait alors à la chapelle Sixtine. Raphaël entreprit à ce moment-là l'une de ses œuvres les plus connues: la décoration des *Chambres*. Il avait vingt-six ans et était considéré comme un grand peintre, un génie comparable à Léonard de Vinci et Michel-Ange.

Par ailleurs, Raphaël, à l'âge de vingt ans, quitta Urbino, sa ville natale, pour aller à Florence. Nous savons qu'il y travailla au-delà de toute expression pour se former aux techniques des Florentins. Cinq ans plus tard, il était à Rome et fréquentait les plus grands artistes du temps, y compris Michel-Ange. Tous ces renseignements le confirment, Raphaël —et tous les peintres contemporains— avait des techniques identiques à celles de Michel-Ange, qui continuait lui-même, comme nous l'avons vu, la manière des Flamands.

ARTISTES CONTEMPORAINS de Léonard de Vinci, Michel-Ange et Raphaël.

En 1510, Léonard de Vinci avait cinquante-huit ans, Michel-Ange trente-cinq et Raphaël vingt-sept. Comme on peut le voir sur ce graphique, en cette même année 1510, vivaient en pleine gloire: Bellini, Le Pérugin, Dürer, Cranach, Jacobo Palma, Titien (vingt-trois ans); Raphaël mourut jeune, en 1520, à trente-sept ans; un an auparavant, à soixante-sept ans, s'éteignait Léonard. Mais Michel-Ange, qui mourut vieux, à quatre-vingt-neuf ans, partagea la gloire avec des artistes aussi célèbres que Titien, Bronzino, Le Tintoret, Véronèse, Brueghel, et même Le Greco, âgé de vingt-trois ans à la mort de Michel-Ange.

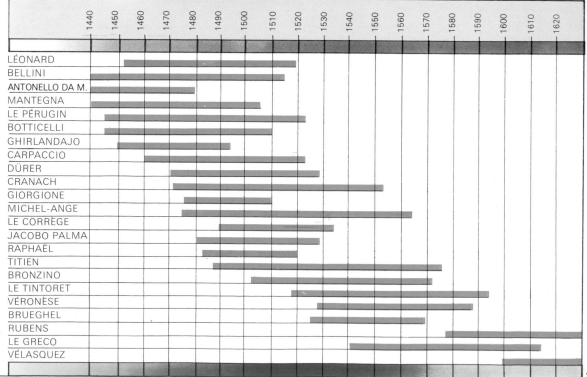

	1440	1450	1460	1470	1480	1490	1500	1510	1520	1530	1540	1550	1560	1570	1580	1590	1600	1610	1620
LÉONARD			▬	▬	▬	▬	▬	▬											
BELLINI		▬	▬	▬	▬	▬	▬	▬											
ANTONELLO DA M.	▬	▬	▬	▬															
MANTEGNA	▬	▬	▬	▬	▬	▬	▬												
LE PÉRUGIN		▬	▬	▬	▬	▬	▬	▬											
BOTTICELLI		▬	▬	▬	▬	▬	▬												
GHIRLANDAJO		▬	▬	▬	▬	▬													
CARPACCIO				▬	▬	▬	▬	▬											
DÜRER					▬	▬	▬	▬	▬										
CRANACH						▬	▬	▬	▬	▬	▬	▬							
GIORGIONE						▬	▬	▬											
MICHEL-ANGE						▬	▬	▬	▬	▬	▬	▬	▬						
LE CORRÈGE							▬	▬	▬	▬									
JACOBO PALMA						▬	▬	▬	▬	▬									
RAPHAËL							▬	▬	▬										
TITIEN							▬	▬	▬	▬	▬	▬	▬	▬					
BRONZINO									▬	▬	▬	▬	▬	▬					
LE TINTORET										▬	▬	▬	▬	▬	▬	▬			
VÉRONÈSE											▬	▬	▬	▬	▬				
BRUEGHEL											▬	▬	▬	▬					
RUBENS																▬	▬	▬	▬
LE GRECO														▬	▬	▬	▬	▬	
VÉLASQUEZ																		▬	▬

36

37

Fig. 34.— (A gauche) Michel-Ange, *La mise au tombeau*. National Gallery, Londres.

Fig. 36.— Raphaël, *Le mariage de la Vierge*, dit le «Sposalizio». Pinacothèque de Brera, Milan.

Fig. 37.— Raphaël, *La Madone du Grand-Duc*. Galerie Pitti, Florence.

titien, fondateur de la peinture moderne

Quelques années à peine après la mort de Jan Van Eyck, son successeur à la tête de l'Ecole flamande, Petrus Christus, reçut la visite d'un jeune peintre italien, Antonello da Messina, qui fit un séjour à Bruges, dit-on, pour s'initier à la nouvelle technique de peinture à l'huile. Antonello da Messina revint à Venise et, très vite, les Vénitiens connurent les techniques des Van Eyck. Parmi ces Vénitiens se trouvait Giovanni Bellini qui devint, avec le temps, le maître le plus important de sa génération et eut notamment pour élèves Giorgione, Jacobo Palma et Titien. Ce dernier apprit les secrets des Van Eyck pour les adapter ensuite à sa manière, créant ainsi une nouvelle technique de peinture à l'huile dont toute la peinture moderne allait découler.

En 1550, la Renaissance touchait à sa fin et allait bientôt céder le pas au maniérisme dont les caractéristiques essentielles allaient être la recherche thématique, la complexité de la composition et la stylisation des formes (Le Greco). Depuis quelques années, on demandait de plus en plus souvent aux artistes des œuvres de grandes dimensions, destinées à la décoration des murs et salons des palais. En 1556, les Bénédictins de Venise commandent à Paolo Caliari, dit «Véronèse», *Les noces de Cana,* toile de 666 × 990 cm. Pour de telles dimensions, la peinture sur panneau de bois, presque impossible à réaliser, n'était pas rentable. La toile montée sur châssis avait de plus en plus d'adeptes. Le pupitre (ou table inclinée) sur lequel on peignait les tableaux de toutes dimensions fut remplacé par le chevalet. Titien peignait déjà sur toile depuis des années.

Cela dit, au milieu du XVIᵉ siècle, il convient d'établir une distinction entre l'«avant Titien» et l'«après Titien». L'art de ce dernier révolutionna en effet la manière de peindre. «Avant Titien», on utilisait des couleurs vives, crues, exaltées, comme si l'artiste peignait des vitraux et non des tableaux. «Après Titien», les couleurs étaient «sales», participaient du gris, ou du bleu, ou du brun, et formaient sur la toile un ensemble harmonieux.

«Avant Titien», le peintre utilisait toujours des pinceaux très effilés, puisqu'il se complaisait à rendre, avec une minutie infinie, les plus infimes détails des bijoux, boucles, perles, cils, comme si le mérite de l'œuvre dépendait de chacun d'eux.

Fig. 38. — Antonello da Messina, *Autoportrait. National* Gallery, Londres.

Fig. 39. — Titien, *Autoportrait.* Musée du Prado, Madrid.

Fig. 40. — Véronèse, *Les noces de Cana.* Musée du Louvre, Paris.

Fig. 41. — Titien, *Danaé recevant la pluie d'or.* Musée du Prado, Madrid.

«Après Titien», on peignait avec des pinceaux en soies de porc et on négligeait le détail au profit du thème de l'ensemble.

Titien fut le premier à voir et à utiliser le «gris optique», grâce auquel les passages de la lumière à l'ombre acquièrent une transparence et un relief incomparables.

Titien fut le premier aussi à peindre dans une gamme de couleurs «rabattues», obtenues par le mélange, en proportions inégales, de couleurs complémentaires et de blanc. (Nous reviendrons ultérieurement sur ce point).

Il peignait avec des pinceaux, mais aussi avec les doigts —son outil favori pour terminer et parachever le tableau—, ce que faisaient déjà d'autres peintres, mais d'une manière moins systématique, toutefois.

Il peignait sur de la grosse toile de chanvre. Au lieu de dessiner avec ce goût du détail propre à l'Ecole flamande, —rappelez-vous la *Sainte Barbe*, page 16, fig. 15—, Titien ébauchait la construction à grands traits et commençait aussitôt à peindre. Ce procédé suscitait les commentaires les plus divers parmi les artistes de l'époque, comme en témoigne cette phrase ironique de Michel-Ange, reprise dans les chroniques de Vasari: «Il est dommage qu'à Venise on ne commence pas d'abord par apprendre à dessiner correctement». Pour sa part, Titien avait dit: «Je ne veux pas trop construire: cela me trouble l'imagination et je ne peux plus peindre».

Fig. 44.— Titien, *Le Christ couronné d'épines*. Ancienne Pinacothèque, Munich. Exemple des couleurs rabattues ou «sales» comme les appelait Titien.

«Salis tes couleurs»

Titien fut le premier artiste peintre qui découvrit la valeur des couleurs *sourdes, rabattues,* et les appliqua sur ses toiles, au mépris du «beau coloris» de l'Ecole flamande. Toutefois, il est évident qu'il ne faut pas prendre la phrase de Titien à ses élèves, «salis tes couleurs», au sens littéral, mais comme une incitation à l'élimination des stridences et à la réussite d'harmonies de couleur plus réelles, puisque, dans la vie, les couleurs n'ont ni la pureté ni la luminosité d'un vitrail d'alors, ni celles d'un tableau ou d'un panneau décoratif actuel. Voyez, sur ces mélanges de couleurs, un exemple de ce que nous entendons par «couleurs sales».

En mélangeant du blanc...   un peu d'ocre...   et de vermillon anglais,

on obtient une couleur chair trop lumineuse.   Mais en ajoutant une pointe de bleu outremer...   la couleur précédente «se salit» et offre une nuance chair plus vraie.

Fig. 45.— Botticelli, *La mise au tombeau*. Ancienne Pinacothèque, Munich. Comme tous les artistes influencés par l'Ecole flamande, Botticelli peignait dans les teintes claires, transparentes. Sa manière était plus décorative et moins réaliste que celle des disciples de Titien.

une technique révolutionnaire

Voir la manière dont Titien commençait son tableau lorsqu'il se mettait à peindre devait être un spectacle fascinant. Jacobo Palma le Jeune, son élève, l'explique en ces termes: «Il étendait sur la toile une couche d'une couleur déterminée qui servait de base à ce qu'il voulait exprimer. J'ai vu moi-même ce fond intense, uniforme, peint à la seule *terra rosse* (terre rouge, probablement rouge de Venise). Avec le même pinceau, enduit de peinture rouge, qu'il trempait ensuite dans de la peinture noire, puis jaune, il peignait les parties sombres, moyennes et claires et, en quatre coups de pinceau, réalisait des figures extraordinairement bien faites».

Fantastique! Rendez-vous compte: Titien peignait déjà en demi-pâte; il utilisait déjà une peinture dense, couvrante; sa vision et sa spontanéité étaient déjà celles d'un artiste d'aujourd'hui.

Titien appelait cette ébauche, exécutée en demi-pâte, à l'aide d'un pinceau en soie de porc, le «lit de la peinture».

A ce stade d'exécution de son tableau, Titien avait l'habitude de le retourner contre le mur et de l'y laisser des semaines, voire des mois... «jusqu'au jour où il le reprenait —poursuit Jacobo Palma— et le contemplait d'un œil critique, comme s'il se fût agi d'un ennemi mortel... S'il découvrait quelque chose qui ne lui plaisait pas, il se livrait à un véritable travail de chirurgie. Grâce à ces fréquentes révisions, il perfectionnait ses tableaux et pendant que l'un séchait, il en commençait un autre».

Au stade suivant, Titien réalisait le modelé, grâce à une série de glacis —«*Svelature? trenta o quaranta!*» répondait-il lorsqu'on lui en demandait le nombre—, revenant ainsi à la méthode classique, mais avec certaines variantes.

Car sur ce premier «lit de la peinture», il appliquait des glacis de couleurs claires dans les parties éclairées, et les mêmes glacis, mais plus fluides, dans les zones moins lumineuses; les surfaces les plus sombres n'étaient pas traitées par des glacis et restaient telles quelles. Les couleurs claires des glacis étaient chaque fois dans la gamme de ton correspondante. Ainsi, sur un drapé rouge, le glacis était rose, sur la couleur chair, il était ocre-jaune, etc.

L'effet de ces glacis clairs sur fond sombre est comparable à celui d'un dessin tracé sur une ardoise noire à l'aide de craie estompée au doigt: la couleur sombre de l'ardoise est visible, par transparence, sous la couleur claire de la craie... On obtient de la sorte une série de gris dégradés qui, après application des couleurs *locales,* transparaîtront toujours et donneront les classiques «gris optiques». Sur cette espèce de *grisaille,* dont certaines parties offraient déjà leur aspect définitif, Titien posait des séries de glacis pour rehausser et accentuer.

Il achevait le tableau en plusieurs séances de peinture directe, en demi-pâte et en pleine pâte, appliquant sur les lumières et les surfaces claires un procédé de peinture nommé *frottis.*

Titien, maître de la technique du frottis

46

Le terme de *frottis,* dérivé du verbe frotter, désigne aujourd'hui une technique picturale consistant essentiellement à plonger le pinceau dans une peinture épaisse et à en frotter une partie ou une zone déjà peinte et sèche. On applique surtout des frottis de couleurs claires sur les couleurs sombres, pour rendre les passages de la lumière à l'ombre, des parties brillantes, des éclairages vifs et des dégradés en général. Fig. 46, on peut observer les trois phases du *frottis:*
1°) la surface à traiter, forme sphérique de couleur vert foncé sur fond carmin foncé;
2°) le pinceau trempé dans du vert jaune, frotté sur la couleur verte déjà sèche, en appuyant du bord externe vers l'intérieur de la sphère, afin
3°) d'obtenir le dégradé.
Observez à présent page suivante (fig. 48), le portrait de l'Arétin; Titien y appliquait sur le visage, de manière magistrale —et pour la première fois— la technique du *frottis,* particulièrement visible sur les touches jaunes se détachant sur le drapé cuivré du modèle.

47

Fig. 47.— Couleur de fond ou d'impression utilisée par Titien, sur laquelle il commençait «le dit de la peinture», selon ses propres termes.

Fig. 48.— (A droite) Titien, *Portrait de Pietro Aretino.* Galerie Pitti, Florence.

rubens: demi-pâte et peinture directe

En 1650, deux cents ans après les Van Eyck, en plein art baroque, Rubens semble vouloir retourner aux sources et adopte une technique encore proche de celle des Flamands. En effet, en cette année 1650, tous les artistes d'Italie avaient délaissé le panneau de bois au profit de la peinture sur un fond préalablement préparé dans un ton brun ou un rouge vénitien. Rubens, lui, continua cependant à peindre sur panneau, sauf pour les grands formats: «Le bois est le meilleur support pour les petits tableaux», disait-il. Il n'adopta pas la préparation en rouge vénitien, et appliquait au préalable sur ses panneaux et ses toiles une couche de gris argent. Mais son principal apport aux techniques de peinture à l'huile, fut, outre le glacis, le recours à la demi-pâte, c'est-à-dire à la couche couvrante, de couleurs qu'il mélangeait en peignant directement sur la toile, sans respecter de temps de séchage. Un tel procédé lui permettait de commencer et d'achever son tableau en une seule séance de travail, comme le font les peintres actuels. Cette découverte de formules et de procédés permettant de peindre plus vite, jointe à son sens pénétrant du dessin et de la peinture, assurèrent sa renommée et lui permirent d'exécuter de nombreux tableaux et portraits pour les grands et les familles royales d'Europe. Il peignit au cours de sa vie plus de deux mille cinq cents tableaux, certains de dimensions considérables, comme la série des vingt peintures consacrées à L'*Histoire de Marie de Médicis*, dont chacune mesure 400×300 cm.

Fig. 49.— Rubens, *Rubens et Isabelle Brandt* (détail). Ancienne Pinacothèque, Munich. Peint quelques mois après son mariage avec Isabelle. Rubens avait alors trente-sept ans.

Fig. 50 et 52. — Rubens, *La petite pelisse* ou *Portrait d'Hélène Fourment*. Kunsthistorisches Museum, Vienne; page de droite: détail.

Pour parvenir à une telle production, Rubens organisa son travail et son atelier, employant ses élèves et ses disciplines, parmi lesquels le portraitiste Van Dyck, l'animalier Snyders, Van Unden, Wildens, qui exécutaient des copies et des agrandissements de projets, fonds, ébauches de couleur, têtes et corps de seconds plans.

Les chroniques mentionnent aussi la «table palette» de Rubens, large table basse, couverte de pots de couleurs préparées à l'avance. L'atelier était vaste, et comptait deux étages, dont le second avait la forme d'une galerie; sur des chevalets ou des échafaudages de bois réservés aux grands tableaux, se trouvaient plusieurs œuvres en cours d'exécution, dans lesquelles Rubens intervenait personnellement pour diriger, rectifier, commencer, construire...

Hélène Fourment, modèle et épouse de Rubens

Rubens épousa en premières noces, en 1609, Isabelle Brandt. Celle-ci mourut en 1626 et, quatre ans plus tard, Rubens se remaria avec la très jeune Hélène Fourment. Elle avait seize ans, lui, cinquante-trois. Il lui restait dix ans à vivre, durant lesquels Hélène fut la muse inspiratrice de tous ses tableaux de thème mythologique, et le modèle favori de ses études de figure et de portrait. Lorsque Rubens mourut, sa veuve voulut détruire certaines de ces études, comme celle reproduite page suivante (fig. 52). Dans cette œuvre magnifique, on distingue parfaitement la technique de glacis et de demi-pâte, en peinture directe, de Rubens. Observez: fonds sombres légers; formes se détachant sur les zones sombres (chevelure et ruban ou voile à la partie supérieure de la tête), rendues par des glacis; carnations: une première phase de glacis humide, et une deuxième phase de demi-pâtes (valeurs plus claires: sur le front, le côté droit du visage, la partie supérieure de l'avant-bras, le buste, etc.).

Fig. 51.— Rubens, *La kermesse* ou *Noce de village*. Musée du Louvre, Paris.

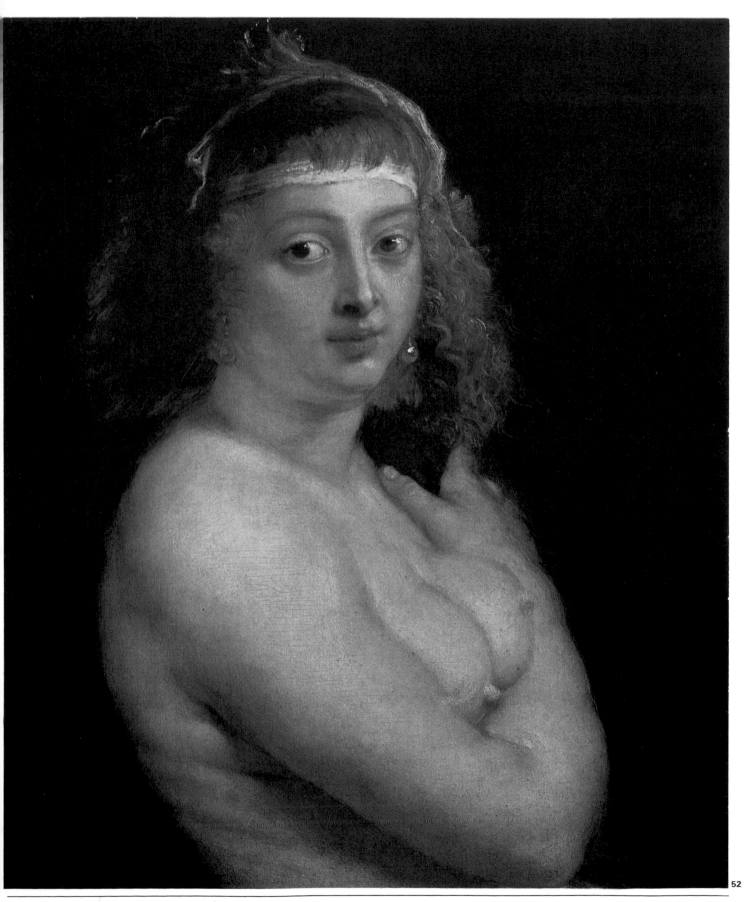

comment peignait rubens?

Voici un bref exposé de la technique de Rubens.

Sur le panneau ou la toile, il appliquait tout d'abord une couche de gris argent un peu sombre, sur laquelle il dessinait, puis peignait à la gouache brune, le thème du tableau. Il posait ensuite des glacis de couleurs claires pour marquer les effets de lumière et les demi-tons. Rubens recommandait, à ce sujet, de ne pas «salir», par des glacis clairs, les ombres légères et transparentes: «Peignez rapidement les ombres, mais gardez-vous de les recouvrir de blanc! C'est un vrai poison pour le tableau.» Et il ajoutait: «Si vous posez des glacis sur les valeurs transparentes et dorées de votre tableau, vos couleurs perdront leur éclat et deviendront mates et grises.» Jusque là, la technique ne différait pas sensiblement de celle de Titien; mais, à ce point d'exécution, Rubens étendait des glacis ou demi-pâtes à peine couvrantes sur les ombres; il peignait en demi, voire en pleine pâte, les surfaces éclairées, telles les carnations qu'il traitait sans égards particuliers, tout à fait librement, comme Delacroix ou Daumier le firent deux cents ans plus tard. Etudiez la tête ci-contre, détail du tableau de Rubens: *La dernière communion de saint François,* sur lequel nous avons clairement indiqué, sous forme graphique, les techniques de demi-pâte et de peinture directe.

Fig. 53.— Rubens, *La dernière communion de saint François d'Assise.* Musée Royal des Beaux-Arts, Anvers. L'une des œuvres les plus importantes, dans le cadre de la thématique religieuse, par sa composition. Observez l'harmonie des formes et des couleurs créée par la tenture et le tableau situés dans le fond. Notez le caractère expressif des personnages, particulièrement frappant dans l'agrandissement de la tête de saint François (fig. 55) à la page suivante.

53

La technique de Rubens

A) Dans le fond, aux parties supérieure et inférieure gauches, on distingue la mince couche de peinture recouvrant à peine la préparation grise du panneau.

B) Sur les cheveux: au-dessus de l'oreille, on distingue également la finesse de la couche de peinture sombre, presque noire.

C) La couleur chair —visage, oreille, cou— a été rendue tout d'abord par un glacis ocre clair, visible en différents points du visage, spécialement dans l'oreille.

D) Suit un modelé général, pour assombrir légèrement certaines zones: au-dessus de la paupière, sous le nez à gauche, dans le collier de barbe, etc.

E) Suit une série de glacis, dans les tons chair. Ce travail de super-position de glacis successifs est parfaitement visible dans le tracé du front au-dessus du sourcil droit.

F) Rubens applique alors les empâtements clairs à l'aide d'une peinture épaisse, opaque.

G) Entre-temps, il a exécuté, par de fines touches de pinceau en poil de martre, les yeux, les sourcils, la moustache et la barbe, puis il a accentué ombres et lumières, peignant les points lumineux ou des détails tels que la larme, l'éclat humide de l'oeil, la touche rouge sur ce même oeil —détail digne d'un impressionniste.

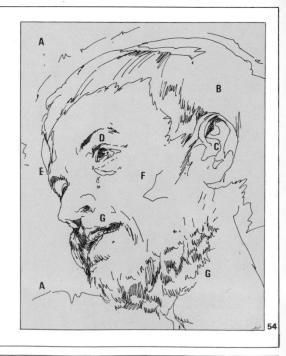

54

rembrandt: clairs-obscurs et pleine pâte

Rembrandt fut un autodidacte. Il ne quitta jamais la Hollande, mais apprit cependant de Léonard de Vinci le *chiaroscuro* et de Titien la manière de rendre les lumières et points lumineux à l'aide de peinture épaisse, opaque, directe. «Pourquoi donc aller en Italie?» répondit-il un jour à quelqu'un —«Pourquoi donc aller les voir chez eux, puisqu'ici, aux Pays-Bas, nous avons leurs toiles et pouvons les étudier à loisir?»— A ceux qui, afin d'examiner ses tableaux, s'approchaient de très près de la toile et s'étonnaient de cette finition «désinvolte» et de l'épaisseur de la pâte, Rembrandt faisait observer que les tableaux n'étaient pas faits pour être sentis mais pour être regardés. Certains visages présentaient même une telle épaisseur de pâte, qu'à Amsterdam on prétendit par dérision que les portraits de Rembrandt pouvaient être accrochés par le nez.

Sous l'influence du *ténébrisme* du Caravage, Rembrandt, dit-on, fut porté à introduire dans ses toiles des effets d'ombre et de lumière dits effets de *clair-obscur*. La plupart des tableaux de Rembrandt présentent, il est vrai, un type de composition identique: la lumière est dirigée vers le motif central, figure ou groupe principal, le reste du tableau demeurant dans la pénombre, suffisamment éclairé, toutefois, pour permettre de distinguer les formes et les corps situés dans la zone d'ombre. Vous pouvez voir, sur cette page et sur la suivante, deux magnifiques exemples de ce procédé. Sur la reproduction de la fig. 57, en haut à droite: *La Sainte Famille,* l'une des oeuvres les plus célèbres de Rembrandt, l'éclairage concentre l'intérêt à la fois sur la Vierge et l'Enfant et sur les anges descendant du ciel, tandis que, derrière la Vierge, saint Joseph est plongé dans l'effet de clair-obscur. Page suivante, *La femme adultère* (fig. 59), magistrale leçon d'art du clair-obscur, concentre l'intérêt sur le groupe formé par la femme —vêtue de blanc afin d'accentuer l'effet de contraste— près de Jésus qui se détache par sa taille élancée, tous deux entourés de prêtres; à la partie supérieure, se poursuit le culte profane dont la richesse est soulignée par les broderies d'or du maître-autel, du trône et des ornements sacerdotaux. Considérez à présent les parties sombres de ces deux tableaux, traitées au moyen d'une mince couche de peinture et songez que Rembrandt peignait les surfaces éclairées en pleine pâte,

56 57

Fig. 56 et 57. — (A gauche), Le Caravage, *La Madone des palefreniers.* Galerie Borghèse, Rome. (A droite), Rembrandt, *La Sainte Famille.* Musée de l'Ermitage, Léningrad.

Le "clair-obscur" de Rembrandt

Lorsque Rembrandt avait dix-huit ans, Le Caravage était mort depuis quatorze ans. Le style de ce dernier, et ses contrastes marqués entre lumière et ombre —le *ténébrisme*— influençait toute la production artistique de l'époque. Mais Rembrandt avait déjà sa personnalité propre et, d'après Sandrart, rejetait la plupart des normes ou règles édictées par les institutions officielles. Pour lui, ni la violence des contrastes, ni l'éclat des couleurs ne suffisaient à créer un effet d'éclairage intense. La solution consistait à éclairer les couleurs, c'est-à-dire à les éclaircir en fonction de la lumière reçue.

A partir d'une telle conception de l'éclairage, et grâce à une étude constante de la nature, Rembrandt acquit une maîtrise parfaite de l'art du *clair-obscur* dont on pourrait dire qu'il est *lumière dans l'ombre.*

58

Fig. 58.— Schéma de la lumière dans le tableau de Rembrandt: *La Sainte Famille,* mettant en évidence la technique de composition choisie par le peintre, pour mieux faire ressortir l'élément principal de l'œuvre.

avec une matière à peu près aussi épaisse que celle employée par certains peintres actuels. Mais, nous reviendrons sur ce thème à la page suivante.

Fig. 59.— Rembrandt, *La femme adultère*. National Gallery, Londres. Fidèle reproduction de l'un des plus célèbres tableaux de Rembrandt. L'effet de *clair-obscur* et le sens même de ce terme sont si évidents que toute autre explication semble superflue. Traiter en clair-obscur signifie peindre de la lumière dans l'ombre, éclairer par des couleurs et de légères touches lumineuses les formes qui se trouvent dans la pénombre, de telle sorte qu'elles *soient* dans le tableau. Observez ces formes dans cette œuvre merveilleuse de Rembrandt, étudiez les motifs «abrégés» et la synthèse obtenue grâce á quelques taches de couleur presque imperceptibles. Fermez à demi les yeux et vous verrez comment Rembrandt a su voir l'intense luminosité du motif principal: la femme adultère agenouillée devant un Dieu, élément essentiel, lui aussi, de cette splendide composition.

59

rembrandt, maître du frottis

En 1642, mourut Saskia.
Saskia Van Pilenborch avait épousé Rembrandt huit ans plus tôt. Elle lui avait apporté une dot considérable et procuré d'excellentes relations, parmi lesquelles le capitaine Frans Banning Cocq, qui passa commande à Rembrandt d'un grand tableau représentant un groupe de vingt hommes, officiers et soldats de sa compagnie; à condition d'être tous bien reconnaissables sur la toile, ils s'engageaient à payer une somme plus ou moins importante, en fonction de leur place dans le tableau. Celui-ci mesurait 359 × 438 cm. *«La compagnie du capitaine Frans Banning Cocq»* au titre trop long, devint bientôt *La ronde de nuit*.
Rembrandt exécuta la commande; cette œuvre est l'une des plus célèbres de toute la peinture hollandaise... mais elle fut cause de discordes et d'inimitiés. En effet, Rembrandt n'avait pas respecté la place choisie par chaque personnage. Il avait renoncé à situer toutes les têtes de face et n'écoutant que son sens créateur, il avait disposé les modèles selon ses propres critères, mettant en valeur certaines têtes et en estompant d'autres. A la suite de cet incident, Rembrandt, dit-on, cessa pendant longtemps de recevoir des commandes et ses proches se fâchèrent avec lui; presque totalement ruiné et abandonné de tous, il s'isola physiquement et moralement, et finit par se peindre lui-même, réalisant une série d'autoportraits, soixante au total, passés à la postérité comme une preuve d'extravagance du peintre. L'autoportrait reproduit page suivante, l'avant-dernier exécuté par l'artiste à l'âge de soixante-trois ans, permet aisément d'étudier la technique de Rembrandt. Le fond proprement dit ne présente aucun relief de pâte, tandis qu'en certaines parties — quoique sombres — du portrait, telles la coiffure et le col de la veste, l'épaisseur de la pâte et les touches sont visibles. Remarquez enfin, que sur une couleur du visage d'intensité moyenne, plutôt foncée, Rembrandt appliqua une pâte épaisse à l'aide d'un pinceau peu imprégné, presque sec, suivant la technique du *frottis*. Observez: le pinceau plus ou moins enduit de peinture, il appliqua ici un blanc presque pur (parties brillantes du nez et du front, touche de couleur sur la paupière droite...), et ailleurs une couleur chair claire tirant sur l'ocre, puis il assombrit cette surface avec un peu de Sienne et de bleu (joue droite près de l'oreille); employant toujours la technique du frottis, avec un pinceau imprégné de peinture

épaisse, Rembrandt modela le visage et lui donna un volume et un coloris splendides. Mais n'en concluez pas pour autant que le peintre recourait toujours à la même technique, selon une formule établie. Non, non, Rembrandt était en ce sens un artiste éclectique, un peintre capable d'improvisations et aux ressources infinies, tirant parti de tout moyen pourvu qu'il lui permît d'atteindre son but. Ci-dessus, dans le portrait de sa mère (fig. 60), les traits que dessinent la dentelle du corsage, furent filés du bout du manche du pinceau. La pâte sur le front et le nez est d'une rare épaisseur; pour rendre le menton, au contraire, Rembrandt peignit, grava au pinceau, frotta, hors de toute règle. Il fut un véritable autodidacte.

Fig. 60.— Rembrandt, *La mère de Rembrandt.* Collection Von Bohlen und Halbach, Essen.

Fig. 61.— Rembrandt, *Autoportrait à l'âge de 63 ans.* National Gallery, Londres.

vélasquez

«On pourrait dire de lui qu'il inventa, à lui seul, la peinture à l'huile.»

Cette phrase de l'écrivain et critique d'art Raffaelli, est citée par L.-P. Fargue qui écrit, à propos de Vélasquez: «Il est moderne, il annonce ce qui sera. Il y a du primitif (Van Eyck) dans le portrait de la *Vieille femme faisant frire des œufs,* et il y a du Courbet dans *Les Ménines,* du Delacroix et du Degas dans *Les fileuses...*»

Don Diégo Rodriguez de Silva Vélasquez naquit à Séville en 1599. A douze ans, il entra comme élève à l'académie de dessin et de peinture de Francisco Pacheco à Séville; Pacheco était peintre et écrivain; auteur d'un ouvrage d'art pictural: *L'art de la peinture,* il avait connu Le Greco qui lui transmit l'art de Titien. Pacheco fut donc un bon maître pour Vélasquez qui, à dix-huit ans, était déjà l'un des meilleurs peintres d'Espagne. Il peignit à cet âge *L'adoration des Mages,* la plus importante de ses oeuvres de jeunesse, remarquable par son style inspiré du Caravage et l'harmonie de sa composition fondée sur *la loi du nombre d'or* (voir, dans l'encadré ci-contre, une brève étude consacrée à celle-ci) redécouverte à la Renaissance. La Vierge peinte dans *L'adoration* est la fille du maître Pacheco, que Vélasquez épousa l'année suivante. Ce tableau et d'autres déjà exécutés par Vélasquez avant l'âge de vingt ans — parmi lesquels les toiles célèbres: *Vieille femme, faisant frire des œufs, La Vierge immaculée, Le porteur d'eau de Séville, le Christ chez Marthe et Marie,* etc.,— le rendirent célèbre jusqu'à Madrid et incitèrent le roi Philippe IV à lui commander un portrait. Vélasquez avait vingt-trois ans lorsqu'il peignit le roi pour la première fois. Philippe IV, très satisfait, nomma Vélasquez peintre de sa maison et, très vite, celui-ci eut son atelier au Palais Royal où il élit domicile. Cette charge lui donna l'occasion d'étudier à loisir la collection royale de peintures qui comptait, notamment, nombre d'œuvres importantes de l'Ecole flamande et de Titien et quelques tableaux de Rubens et de Rembrandt, mais, pour Vélasquez, le plus grand peintre était Titien qu'il admirait, déclara-t-il un jour, plus encore que Raphaël. D'autre part, à vingt-huit ans, Vélasquez se lia d'amitié avec Rubens, alors de passage à Madrid, et échangea sans doute avec lui des idées sur les techniques et procédés de la peinture à l'huile. Un an après avoir rencontré Rubens, Vélasquez fit son premier voyage en Italie où il

La loi du nombre d'or

Dans la Rome antique, à l'époque d'Auguste, un célèbre architecte, du nom de Vitruve, établit la «loi du nombre d'or», selon laquelle: *«Pour qu'un espace divisé en parties inégales soit harmonieux et esthétique, il faut garder entre la partie la plus petite et la plus grande le même rapport qu'entre cette dernière et le tout.»* L'expression arithmétique du nombre d'or est égale à 1,618. Pour obtenir cette division idéale, il suffit d'appliquer la formule suivante: multipliez la largeur de la toile par le facteur 0,618 et vous obtiendrez automatiquement la division du nombre d'or. Enfin, en répétant l'opération pour la hauteur de la toile, vous obtiendrez un point considéré comme idéal pour situer l'élément principal du tableau.

Vélasquez, dans son tableau: *L'adoration des Mages,* situa la tête de l'Enfant Jésus précisément au point défini par le nombre d'or. En effet, le tableau de Vélasquez mesure 200×125 cm. En multipliant 200 par 0,618, nous obtenons, en chiffres ronds, 123, et en multipliant 125 par 0,618, on a 77. A l'intersection de ces deux dimensions se trouve le point du nombre. Le même point peut se situer à droite ou à gauche, en haut ou en bas.

Fig. 62.— Vélasquez, *L'adoration des Mages* (détail). Musée du Prado, Madrid.

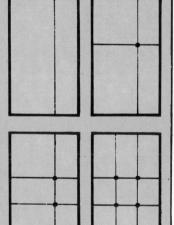

retourna en 1648. Durant ce second séjour à Rome, il peignit le célèbre portrait du pape Innocent X et le seul nu qu'il peignit dans sa vie: *La Vénus au miroir.* De retour en Espagne, il exécuta sa toile la plus célèbre: *Les Ménines.*

Vélasquez appliqua dans son œuvre les techniques de Titien dont il fut un fervent admirateur, mais il découvrit par lui-même, avec l'aide de son maître Pacheco, et grâce aux confidences de Rubens, une technique de peinture plus directe, en pleine pâte et en demi-pâte, négligeant le recours constant au glacis. Quelques années plus tard, Vélasquez peignait en pleine pâte, préparait ses couleurs

64

Fig. 64. — Vélasquez, *Les Ménines*. Musée du Prado, Madrid. Considérée comme le tableau le plus important de Vélasquez, cette œuvre est la seule qui nous permette de connaître son physique avec certitude, puisque la figure de l'artiste qui nous regarde, sa palette à la main, est celle de Vélasquez. L'infante Marguerite, entourée de ses dames d'honneur, est au centre de la composition. Le groupe de personnes du premier plan regarde le Roi et la Reine dont l'image se reflète dans le miroir du fond. On ne sait si Vélasquez est en train de faire le portrait du couple royal ou si ce dernier contemple les infantes et leurs dames.

vélasquez

sur la palette et les appliquait directement sur la toile, comme nous le faisons aujourd'hui. Il s'exerça, seul, dans son atelier du Palais Royal, en exécutant des séries de bouffons et des portraits de membres de la famille royale.

Je crois pouvoir affirmer, à partir des recherches auxquelles je me suis livré, que telle était sa manière de peindre: toujours sur une toile à gros grain, enduite au préalable d'une couche uniforme de *rouge de Venise*, exactement le couleur de préparation adoptée par Titien. Comme lui, il négligeait l'esquisse minutieuse propre à Rubens et à d'autres peintres célèbres de l'époque. Comme Titien, il commençait le tableau avec un pinceau imprégné de couleur, peignant et dessinant en même temps. Il travaillait d'abord toute la toile en demi-pâte, réalisant le *lit de la peinture* préconisé par Titien, mais ne songeait pas à rehausser ensuite les lumières au moyen des classiques glacis ou des trois teintes chères aux Flamands. Cette technique lui semblait dépassée. Il peignait *directement*, mais après avoir préalablement étendu sur toute la toile une couche à dominante grise sur laquelle il appliquait ensuite les couleurs définitives qui, de manière spontanée, naturelle, maintenaient l'effet premier de *grisaille*, pour donner le gris optique découvert par Titien. D'autre part, l'empâtement de Vélasquez, si proche de la facture des peintres actuels, résultait des techniques de Titien et de Rembrandt, combinées à celles de Rubens. Notez que Titien —le modèle par excellence, pour Vélasquez— fut le premier peintre à employer ce que je me permettrai d'appeler des «glacis épais» ou, selon le jargon technique du peintre, frottis; et, vous pouvez le constater, il usa de ce procédé avec une certaine réserve. Observez également que Rembrandt trouva dans le frottis un moyen de suggérer le volume, en l'appliquant sans égards particuliers, d'une manière sèche, agressive, très frappante. Titien et Rembrandt, ne l'oubliez pas, peignaient directement, comme il convient à la technique du frottis. Rubens, lui, usait de manières plus douces et inventait le *demi-empâtement* ou série de «glacis moins épais», onctueux, qui, appliqués les uns sur les autres, mêlaient par superposition les nuances entre elles. Vélasquez sut discerner les avantages et les inconvénients de l'un et de l'autre système, pour faire la synthèse des deux.

En quelque sorte, ce procédé était l'aboutisse-ment logique auquel devaient parvenir, en même temps que Vélasquez en Espagne, Poussin et de La Tour en France, Frans Hals et Vermeer en Hollande, Reynolds et Gainsborough en Angleterre.

Fig. 65.— Vélasquez, *Auto-portrait* supposé. Musée du Prado, Madrid.

66

Fig. 66.— Vélasquez, *Portrait du pape Innocent X*. Palais Doria, Rome. Les liens d'amitié unissant Rubens et Vélasquez incitèrent ce dernier à partir pour Rome, la première fois en 1629 et la seconde, dix-neuf ans plus tard, en 1648. Ce second voyage lui réussit particulièrement et lui permit de peindre le magnifique et unique nu de sa vie: *La Vénus au miroir*. Il peignit également le pape Innocent X, portrait considéré comme le plus beau de tous ceux qu'il peignit dans sa vie. Avant d'exécuter ce portrait célèbre, il fit celui du «maure» Pareja, et recourut à sa technique dite «à grandes touches espacées» ou encore «sa manière abrégée», ce qui signifie, en langage moderne, qu'il peignait comme un «impressionniste». Vélasquez eut l'audace de peindre, dans ce style libre, dégagé, le pape lui-même.

Etudiez à la page n.° 42, sur la reproduction en couleur de la tête du pape, la facture, à la fois souple, et sûre, de cet admirable portrait.

Fig. 67.— Vélazquez. Tête de l'infante Marguerite. *Les Ménines*. Prado, Madrid. Vélasquez peignait ainsi, d'une touche de pinceau large, sûre —observez les yeux, les ailes du nez, les lèvres—, avec ce sens extraordinaire de la synthèse propre à un maître de l'impressionnisme. Observez la manière dont il a peint la chevelure, ces taches «qui, de près, ne disent rien», et représentent des fleurs ou quelque ornement dans la partie supérieure gauche. Observez l'épaisseur de la toile, la qualité de la pâte, la direction de la touche de pinceau. Quelle insolente facilité!

le plus beau portrait de vélasquez

le plus beau portrait de vélasquez

de vélasquez à picasso

Jusqu'au début du XVIIIᵉ siècle, nul changement notable, hormis quelques variantes. Dans le rococo, par exemple, alors que la peinture de Boucher et de Fragonard propose une conception décorative et frivole, la peinture aux essences végétales devient à la mode; au lieu d'ajouter aux pâtes préparées, des huiles épaisses et siccatives, on les allongeait à l'essence de térébenthine, grâce à laquelle les couleurs séchaient plus vite et donnaient une surface mate, sans reflets, procédé actuellement très répandu et assurant la bonne conservation du tableau. Notons également que dans la seconde moitié du XVIIIᵉ siècle, le style néoclassique, dont le peintre Jacques-Louis David est le plus digne représentant, fait son apparition en Europe. David et d'autres peintres de son école, parmi lesquels Gros et Ingres, revinrent alors aux techniques de Rubens, aux *glacis transparents combinés aux demi-empâtements*, technique que les néoclassiques portèrent à la perfection, atteignant une qualité de fini comparable à celui des Van Eyck et de leurs disciples. Les portraits d'Ingres, que le philosophe Ortega y Gasset compare aux figures d'un musée de cire, illustrent parfaitement la préciosité de cette technique.

Durant le Romantisme (jusqu'au milieu du XIXᵉ siècle), cette technique dite *classique* prédomina, avec l'apport du bitume de Judée et du baume de momie, deux couleurs comparables à la terre de Cassel actuelle, mais de siccativité très médiocre. Dans les tableaux fraîchement peints, les couleurs avaient un aspect brillant, coloris et contrastes étaient magnifiques; mais au bout de quelques années, les toiles noircissaient, se détérioraient sans remède. Heureusement, apparut alors le tableau lumineux et la palette claire des impressionnistes, qui parvinrent à leur apogée entre 1850 et 1870, avec les toiles de Manet, Monet, Pissarro, Degas, Renoir, Sisley et Cézanne.

Fig. 69.— Boucher, *Jeune fille au repos*. Ancienne Pinacothèque, Munich. Dans le rococo français, la mode s'instaura de substituer les essences aux huiles. L'une d'entre elles, l'essence de térébenthine rectifiée, est encore en usage de nos jours, et donne une peinture *maigre*.

Fig. 70.— Ingres, *Autoportrait*. Musée des Offices, Florence.

Fig. 71.— Ingres, *Portrait de Mademoiselle Rivière*. Musée du Louvre, Paris.

Fig. 72.— Jacques-Louis David, détail du tableau *Le sacre de Napoléon Ier* (détail). Musée du Louvre, Paris.

Fig. 68.— Vélasquez, détail du *Portrait du pape Innocent X*.

72

la peinture à l'huile aujourd'hui

Jusqu'au dernier tiers du XVIIIᵉ siècle, les couleurs à l'huile étaient fabriquées par l'artiste lui-même ou ses aides, selon les procédés que nous étudierons plus loin. A la fin du XVIIIᵉ, les couleurs étaient préparées d'avance et vendues dans de petites vessies. Mais le rendu de ces couleurs était très incertain, car il s'agissait de préparations artisanales, n'offrant nulle garantie que telle couleur —bleu d'outremer, par exemple— eût une tonalité identique, une même intensité, un même degré d'empâtement... Vers 1850-1860, apparurent sur le marché, enfin, les premières couleurs à l'huile en tubes de zinc. Il y eut naturellement d'abord quelques tâtonnements sur la qualité des peintures, mais finalement on parvint enfin à fabriquer des couleurs à l'huile de qualité stable. Les nouveaux fabricants proposèrent, en outre, une gamme beaucoup plus étendue de couleurs d'un éclat et d'une richesse dont n'auraient jamais pu rêver les anciens maîtres. Renoir disait, à un âge très avancé: «Les couleurs en tube nous ont permis de peindre en plein air d'après nature; sans ces couleurs en tubes, ni Cézanne, ni Monet, ni Sisley, ni Pissarro n'auraient existé et, de ce fait, l'impressionnisme non plus».

Il en fut ainsi jusqu'à Picasso.
La qualité du matériel et particulièrement, celle des couleurs à l'huile du début du siècle à nos jours, autorisent toute sorte de supports, du papier au mur de briques, des préparations blanches aux noires, la peinture au couteau, au pinceau, ou projetée telle qu'elle sort du tube, en couches si liquides ou si fines que la toile est plus texture que support. On peut tout faire, et le matériau répond toujours, à condition de respecter quelques règles fondamentales, dont nous parlerons dans les pages qui suivent.

Fig. 74.— Cézanne, *Autoportrait à la casquette*. Musée de l'Ermitage, Léningrad. Cette reproduction, presque aux dimensions de l'original, met en évidence la manière libre, sûre et tout à fait spontanée de Cézanne. Un style qui va bien au-delà de l'impressionnisme. Merveilleux Cézanne!

Fig. 73.— Turner, *Tempête de neige en mer*. Tate Gallery, Londres. Turner peignait déjà comme un impressionniste, au début du XIXᵒ siècle. Sa manière était tout à fait personnelle et il avait souvent recours à la technique du «frottis».

73

75

Fig. 75.— Van Gogh, *La fête du 14 Juillet à Paris.* Collection Jäggli Hahnloser, Winterthur. Déjà, en plein *fauvisme,* Van Gogh emprunte une technique de l'empâtement épais et emploie une peinture «sortant pratiquement du tube». Il réalise le tableau en un temps très court.

Fig. 76.— (Haut de la page suivante) Vermeer, *L'atelier.* Kunsthistorisches Museum, Vienne.

l'atelier du peintre

"Tu auras ton atelier là où
personne ne pourra te déranger. Il n'y aura qu'une
seule fenêtre. Tu placeras ton pupitre
près de cette fenêtre, comme pour
écrire."

Cennino Cennini (1390)

l'atelier du peintre dans le passé

Vous êtes-vous déjà demandé à quoi ressemblaient les ateliers des grands maîtres des XVIᵉ et XVIIᵉ siècles, tels Rubens, Rembrandt, Vélasquez...?

Ils travaillaient tous, bien sûr, dans des pièces spacieuses, en tous points semblables aux ateliers d'autres artisans: tailleur, charpentier, remouleur. L'atelier était vraiment la *grande salle*.

La grande salle de Vélasquez mesurait environ six mètres de haut, cinq mètres de large sur dix mètres de long. Le peintre Juan Bautista del Mazo, disciple de Vélasquez, peignit une toile intitulée *La famille de Vélasquez*, ayant pour cadre l'atelier du maître (fig. 78). On sait par ailleurs, que le tableau *Les fileuses* (fig. 77) fut réalisé par Vélasquez dans son propre atelier, dont il avait quelque peu modifié la structure et en particulier cette espèce de niche située au fond qu'il stylisa davantage.

C'est enfin dans son atelier qu'il peignit *Les Ménines*, donnant aux personnages un éclairage et une place dans le tableau analogues à ceux des fileuses du premier plan et à ceux de la famille de Vélasquez.

Dans les ateliers de l'époque, il y avait, près de la «grande chambre», une sorte de réduit comportant, outre l'eau courante et un poêle, une table ou un banc pour broyer les couleurs. Il y avait dans cette pièce divers ustensiles, et, de plus, des sachets de terres de couleurs, des flacons d'huiles, de résines, d'essences, et de petits récipients contenant les couleurs déjà préparées; tout ce matériel était entreposé dans des armoires ou disposé sur des étagères, l'ensemble —soit dit en passant— évoquant une sorte de cuisine rudimentaire où les apprentis-peintres «passaient six ans», d'après Cennini, «à broyer les couleurs, à cuire les colles et à faire les plâtres». Il y a une cinquantaine d'années, on trouvait encore des cuisines de ce genre dans les ateliers, d'où l'expression encore couramment employée de nos jours pour désigner une œuvre très léchée à la texture ou à la finition trop élaborée: «c'est de la cuisine».

A la fin du siècle dernier, l'atelier des peintres en renom se transforma en petit musée et en salon de reception. Le matériel du peintre était tout à fait secondaire; la décoration importait avant tout: meubles anciens, tapisseries, cuivres, tentures et tapis d'Orient... A Paris, le peintre Gérôme loua, face au Moulin-Rouge, une villa dotée de salons luxueux, d'ateliers de sculpture et de peinture, ornés d'objets d'art et de curiosités orientales. C'était un véritable musée dans lequel l'artiste donnait des receptions, lors des vernissages de ses œuvres. Les *réalistes* d'abord, puis les *impressionnistes,* avec l'apparition de salles ou galeries d'exposition permettant la présentation des toiles, renoncèrent aux ateliers-musées dans le style de celui de Gérôme et créèrent l'atelier-studio tel que nous le connaissons aujourd'hui, en dépit de ses dimensions, jugées excessives à notre époque. Les deux tableaux reproduits page suivante nous éclairent sur cet atelier de la fin du siècle dernier et du début du XXᵉ; ils nous permettent de connaître et d'étudier les ateliers de Courbet (fig. du haut) et de Bazille (fig. du bas).

Fig. 77.— Vélasquez, *Les fileuses*. Musée du Prado, Madrid.

Fig. 78.— Del Mazo, *La famille de l'artiste*. Kunsthistorisches Museum, Vienne. L'intérêt du thème n'est pas tant de nous faire connaître la famille de Vélasquez mais bien plutôt de nous révéler l'atelier du maître, où Del Mazo a situé le groupe de personnages. On peut voir, à l'arrièreplan, Vélasquez luimême en train de peindre. Observez les similitudes entre l'intérieur représenté ici et celui des *Fileuses*.

79

F. Bazille 1870   80

Fig. 79.— Courbet, *L'atelier du peintre*. Musée du Louvre, Paris. Le tableau nous présente l'atelier même de Courbet. Courbet voulut faire figurer dans son atelier ses modèles et tous ceux qui, d'une certaine manière, avaient participé à son travail.

Fig. 80.— Bazille, *L'atelier de Bazille*. Musée du Louvre, Paris. Typique atelier de peintre de la fin du XIXº siècle, avec piano, grande verrière, rideau noir permettant de tamiser la lumière, poêle et mezzanine avec chambre (l'escalier de gauche nous confirme ce point, parfaitement habituel à l'époque).

l'atelier du peintre aujourd'hui

81

Fig. 81.— Un coin de l'atelier de Pissarro et l'artiste en train de peindre. Ce modèle de chevalet se fabrique encore de nos jours; il est d'usage courant dans les écoles des Beaux-Arts.

82

Fig. 82.— Vue partielle de l'atelier de Cézanne à Aix-en-Provence. On remarque un modèle de chevalet spécialement conçu pour les œuvres de grandes dimensions. Curieusement, Cézanne n'accrochait pas ses toiles aux murs de l'atelier.

83

Fig. 83.— Picasso. *Le tub*. The Phillips Collection, Washington. © by S.P.A.D.E.M., 1983. Picasso reproduit ici sa propre chambre, la pièce qui lui servait d'atelier à Paris, boulevard de Clichy.

Vers 1890, Camille Pissarro et Paul Cézanne vivaient à la campagne et disposaient d'un atelier dans leur propriété. Un rez-de-chaussée, une ou deux fenêtres ordinaires, des murs couverts de tableaux... une pièce banale, mais spacieuse, comme il en existe dans les vieilles maisons de campagne. En 1901, Picasso arrive pour la première fois à Paris et occupe une chambre du Boulevard de Clichy. Une pièce de quatre mètres sur cinq tout au plus, dans laquelle il vit et peint. Il en fait son atelier. Le tableau intitulé *Le tub* où il reproduit sa propre chambre (fig. 83), en porte d'ailleurs témoignage.

Picasso retourne en Espagne et revient à Paris en 1904. Le sculpteur Paco Durio lui écrit un mois avant son départ et lui propose l'atelier qu'il avait occupé jusqu'alors à Paris: une pièce située à Montmartre au nº 13 de la rue Ravignan (aujourd'hui place Emile Goudeau). «Simple, bon marché et dans un quartier agréable», disait à Picasso son ami Paco Durio.

Le nouvel atelier de Picasso se trouvait dans un vieil édifice en bois, complètement délabré, qui, les jours de tempête, disait-il en riant, tanguait comme un bateau à voile. Le poète Max Jacob le baptisa *bateau-lavoir*, en souvenir des anciens lavoirs flottants des bords de Seine. Le célèbre atelier du *bateau-lavoir* devait vraiment être grand, puisqu'il pouvait contenir jusqu'à quinze personnes, les soirs de réunions d'artistes.

De tout ce qui précède, on peut déduire que les moyens —en ce cas, les dimensions et la situation de l'atelier— n'ont pas d'influence décisive sur la création artistique. Certaines conditions de lieu, d'espace, d'éclairage, de matériel sont toutefois nécessaires. Nous allons étudier cette question et tout d'abord les dimensions minimales de l'atelier.

Un espace minimum de 4 × 3,5 m suffit largement, ce qui n'interdit pas, pour autant, de travailler dans un local plus vaste.

85

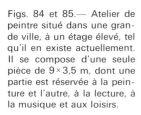

Figs. 84 et 85.— Atelier de peintre situé dans une grande ville, à un étage élevé, tel qu'il en existe actuellement. Il se compose d'une seule pièce de 9×3,5 m, dont une partie est réservée à la peinture et l'autre, à la lecture, à la musique et aux loisirs.

Fig. 86.— Atelier de Francesc Serra, une mansarde dans une maison de sept étages du vieux Barcelone. L'artiste est en train de peindre. La pièce, de 4×5 m, est éclairée par trois fenêtres semblables à celle de la photo, c'est-à-dire par une lumière *zénithale* (venant d'en haut).

Fig. 87.— Un coin de mon propre atelier dans une maison de campagne. Il mesure 6×5 m et possède une large baie vitrée à 1,70 m. du sol (fig. 88, p. 52).

87

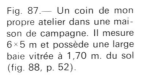

éclairage de l'atelier

Me trouvant un jour dans l'atelier de Francesc Serra que je regardais travailler, je remarquai que la lumière lui arrivait d'une baie vitrée située environ à deux mètres du sol, suivant une orientation que je qualifierais de *zénithale-latérale*.

Je me rappelai alors l'atelier de Vélasquez et la grande baie ouverte en haut de l'un des murs latéraux et je songeai à la possibilité de construire un atelier aux normes actuelles, offrant ce type d'éclairage naturel. Vous pouvez voir, sur la reproduction ci-contre (fig. 88), l'atelier où je travaille actuellement dans d'excellentes conditions: éclairage diffus mais d'un contraste agréable, favorable à la peinture en général et à celle des portraits ou figures en particulier. L'orientation de la lumière et cette espèce de qualité diffuse suppriment tout reflet ou éclat excessif; le plafond lambrissé, en bois vernis (teinte chaude), brise l'intensité et l'effet de réflexion des murs blancs (nuance froide), équilibrant ainsi la tonalité et l'éclat de la lumière. D'une manière générale, presque tous les artistes peintres travaillent et peignent de jour, à la lumière naturelle. Ce qui ne les empêche pas, le cas échéant, de peindre à la lumière artificielle; de nombreux professionnels «mènent» deux tableaux à la fois, l'un, le matin, peint à la lumière du jour, et l'autre, le soir, à la lueur d'une ou plusieurs ampoules électriques.

Pour peindre à la lumière naturelle, l'atelier doit disposer au moins d'une grande fenêtre, permettant de travailler à la lumière du jour et d'éclairer le modèle suivant une orientation frontale-latérale ou latérale. Pour peindre à la lumière artificielle, il faut deux ampoules électriques: l'une pour éclairer le modèle, et l'autre pour éclairer le tableau en cours. En outre, il est souhaitable de disposer d'une lampe d'appoint permettant d'éclairer la pièce dans son ensemble. Pour éclairer le modèle, figure ou nature morte, une simple ampoule au tungstène de 100 watts suffit, en principe, à condition toutefois que la lumière soit diffusée par un abat-jour assez large pour éviter l'effet de spot dû à une source lumineuse trop intense. Pour peindre une nature morte ou un portrait, la lampe devra être placée à une distance de 80 à 100 cm du modèle. La lumiere éclairant le tableau devra venir d'en haut, grâce à un flexible ou à un bras extensible monté sur le chevalet (voir fig. 88 et 95); l'ampoule électrique sera également d'une puissance de 100 watts. Pour

Fig. 88.— Lumière zénithale, éclairant du haut, par de larges baies vitrées situées à 1,70 m. du sol.

Fig. 89 et 90. — La lumière artificielle donne des reflets (fig. 89) que l'on peut éviter en inclinant la toile et en peignant à la verticale ou en diagonale.

éviter un certain décalage entre l'éclairage du modèle et celui du tableau, il conviendra de travailler avec deux ampoules de même puissance.

Enfin, la lumière d'appoint devra être installée un peu en hauteur, au plafond (ampoule de 60 à 100 watts selon les dimensions de la pièce).

89

Fig. 91.— Eclairage à la lumière naturelle venant d'une large ouverture. Sur la photo du modèle, on peut remarquer que les ombres proje-tées sont douces, sans contours nets. La couleur de la lumière est neutre, tirant légèrement sur le bleu.

Fig. 92.— Lumière artificielle provenant d'une lampe de bureau munie d'une ampoule de 100 watts. Le contraste s'accuse, les ombres, nettement découpées, sont plus marquées. Avec une ampou-le au tungstène, la couleur tire sur l'orangé. Peu importe, il suffit d'en tenir compte lorsqu'on peint, et de modifier ou d'accuser délibérément cet effet.

Fig. 93.— J'ai fait ce croquis dans l'atelier reproduit figure 88, sous une lumière zénithale, offrant une qualité de lumière douce, semblable à la lumière naturelle. Pour marquer davantage le contraste, il suffit de tirer les rideaux et de réduire la source lumineuse, pour obtenir une lumière éclairant plus directement le sujet.

composition de l'atelier

Fig. 94.— Atelier de peintre de 3,5×4 m dessiné à l'échelle et respectant les proportions des meubles. On y a réuni, en principe, tout ce qui est indispensable pour travailler confortablement, c'est-à-dire:

Éclairage
1. ouvertures sur l'extérieur
2. lampe de table (ou de bureau)
3. lampe à bras extensible fixée au chevalet
4. lumière d'ambiance
5. éclairage central (au plafond, invisible sur le dessin).

Meubles et accessoires
6. chevalet
7. petite table ou meuble d'appoint pour peindre
8. tabouret
9. table d'appoint rectangulaire
10. étagères-bibliothèque
11. électrophone
12. haut-parleurs
13. canapé-lit
14. table d'appoint, chaise, fauteuil.

Ci-dessus, vue plongeante d'un atelier: meubles, accessoires divers et sources lumineuses. Remarquez, outre le matériel du peintre, les meubles suivants: canapé convertible, bibliothèque munie d'un électrophone et d'une table d'appoint permettant de poser le modè-

DIMENSIONS

4 m de long
3,5 m de large

mesures minimales

le (nature morte), d'écrire, de dessiner ou d'exécuter croquis et projets. La distribution des sources lumineuses répond à une idée fonctionnelle. On n'a pas représenté ici la lampe centrale de l'atelier, fixée au plafond.

meubles et accessoires

Les meubles et accessoires indispensables au peintre se limitent à un chevalet, un siège et une petite table d'appoint, destinée aux tubes de peinture, chiffons, flacons d'huile ou d'essence de térébenthine, récipient pour contenir les pinceaux, etc. (voir l'illustration ci-contre, fig. 95). En ce qui concerne le chevalet, je vous présente dans les pages suivantes, quelques modèles de base, dits de campagne et d'atelier.

On peut trouver la table d'appoint dans les boutiques de fournitures à dessin et peinture où l'on vend des modèles spécialement destinés à cet usage. Le meuble présenté fig. 96 ci-dessous est monté sur roulettes, ce qui permet de le déplacer dans l'atelier. Mais n'importe quelle petite table fera aussi bien l'affaire. A cet usage, j'ai moi-même adapté, il y a fort longtemps, un vieux support de machine à écrire, au-dessus duquel j'ai fixé une planche et que j'ai complété par une espèce de casier à sa base (fig. 97).

Je vous recommande, d'autre part, l'acquisition d'un porte-cartons à dessins, semblable à celui de la fig. 98 ci-dessous, parfaitement conçu pour ranger le papier à dessin et conserver l'œuvre terminée.

95

96

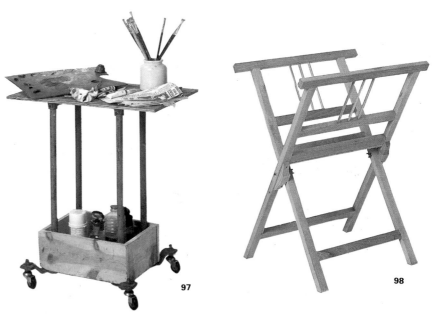

97

98

meubles d'appoint

Certains peignent debout, mais la plupart des artistes travaillent «à demi-assis», c'est-à-dire sur une chaise ou un tabouret plus haut que la normale, sur lequel on peut s'asseoir à moitié et duquel on peut aisément se lever. Il en existe deux modèles courants: la chaise téléscopique montée sur roulettes —détail important— à dossier légèrement incurvé, siège rembourré et hauteur réglable, munie d'un repose-pied à sa partie inférieure (fig. 99). Le tabouret en bois à piètement triple et siège graduable est également en usage (fig. 100).

La table d'atelier doit avant tout permettre d'écrire, de dessiner, et de faire des croquis. Je vous recommande un modèle semblable à celui de la fig. 101, composé de deux blocs de tiroirs indépendants et d'une planche en plan incliné, amovible, posée de telle manière que l'on puisse écarter les deux blocs à volonté.

10

Fig. 99.—Tabouret métallique à siège et dossier capitonnés; le dossier est réglable et flexible; ce tabouret est monté sur roulettes au-dessus desquelles se trouve un cercle métallique pour y appuyer les pieds. La hauteur du siège est également réglable.

Fig. 100.— Tabouret de forme classique, en bois à trois pieds et siège réglable, monté sur un pas de vis. Ces deux tabourets sont d'une hauteur supérieure à celle d'une chaise, de sorte qu'il est possible de travailler moitié assis, moitié debout.

Fig. 101.— Bureau spécialement conçu pour dessiner, élaborer projets, esquisses, etc. Il se compose de deux blocs de quatre tiroirs, et d'une sorte de planche en plan incliné, évoquant la forme d'un pupitre. Elle est indépendante des blocs de tiroirs, comme on peut le voir fig. 102, et permet de les écarter à volonté, afin d'augmenter la longueur de l'ensemble.

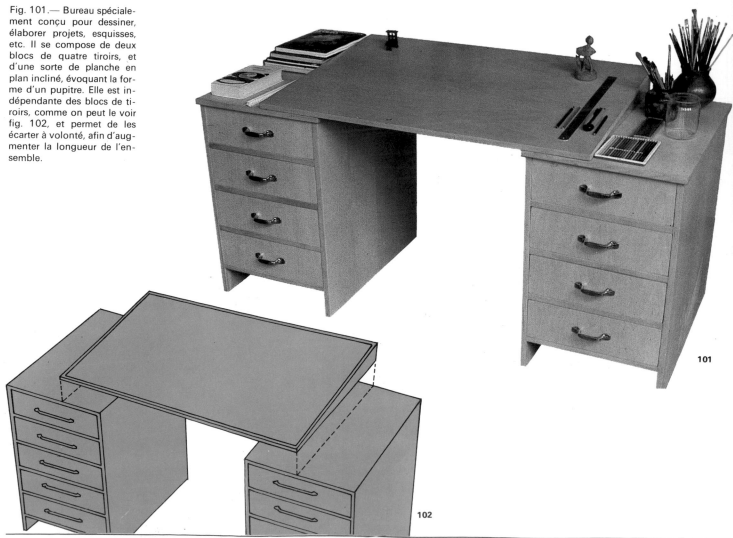

99

101

102

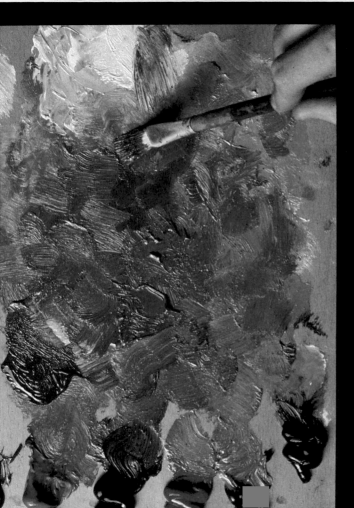

matériel et
accessoires

le chevalet

Il existe deux types de chevalet: le *chevalet de campagne,* permettant de peindre en extérieur et le *chevalet d'atelier,* destiné à la peinture d'intérieur.

Le chevalet de campagne se compose essentiellement d'un trépied en bois muni de dispositifs et d'articulations permettant de le plier et de le transporter aisément. Il doit absolument remplir les conditions suivantes: a) légèreté, b) solidité, c) hauteur suffisante offrant à l'artiste la possibilité de peindre debout, s'il le désire, d) mécanisme permettant de régler à volonté la hauteur du tableau et e) fixation assurant le maintien de la toile par sa partie supérieure (voir le modèle standard, fig. 103).

Parmi les chevalets de campagne, l'un des plus couramment utilisés par le professionnel est la «boîte-chevalet» (fig. 104 et 105), aux avantages multiples: inclinable de la verticale à l'horizontale, il permet de peindre dans tous les formats, du n° 1 au n° 30 (92 × 65 cm), d'abaisser ou de relever tout l'ensemble en repliant les pieds, de laisser entrouvert le casier contenant tubes, pinceaux, godets et d'avoir un support pour poser la palette.

Vous pouvez voir, sur les figures 106 à 109, différents modèles de chevalets d'atelier, tous munis d'un plateau à crémaillère pour descendre et remonter la toile. Les légendes de la page suivante donnent les caractéristiques de ces différents modèles.

Fig. 103.— Chevalet de campagne, tripode, pour peindre en extérieur. Modèle classique actualisé, muni de deux supports maintenant la palette au cours de la séance de travail. Il est pliable.

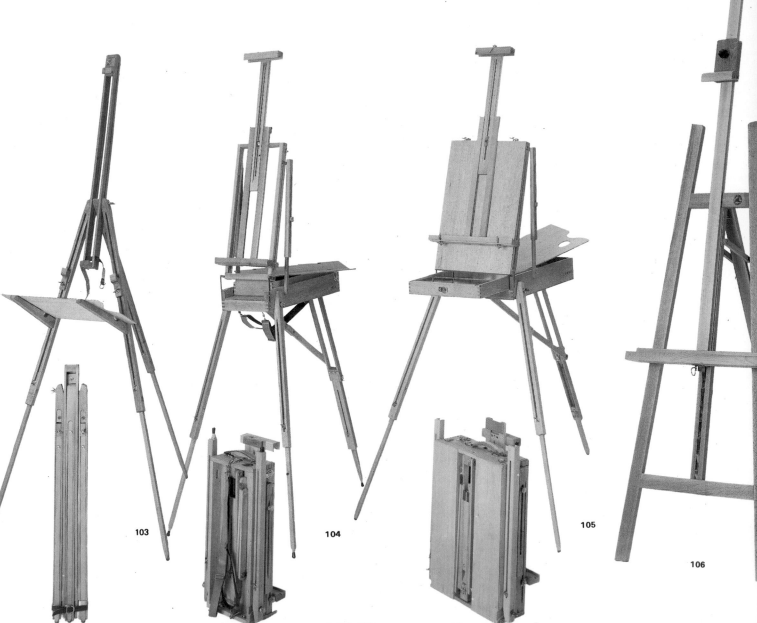

103   104   105   106

Fig. 104.— Boîte-chevalet de campagne. Dernier modèle de boîte-chevalet, plus étroit, moins lourd et en général moins encombrant. Il offre les mêmes avantages que le modèle classique de la figure suivante.

Fig. 105.— Boîte-chevalet de campagne; pliable. C'est le modèle classique, inventé il y a plus de quarante ans, permettant de transporter en une seule pièce, de la taille d'une petite valise, les multiples accessoires nécessaires au peintre, les pinceaux, tubes, diluants, couteaux, fusains, chiffons, y compris la toile, si elle n'est pas de grand format, etc.

Fig. 106.— Chevalet d'atelier classique, en usage depuis des siècles.

Fig. 107.— Chevalet d'atelier aux caractéristiques semblables à celui de la figure 106.

Fig. 108 et 109.— Chevalets d'atelier; modèles classiques montés sur roues, solides et stables, permettant de peindre des toiles de grandes dimensions, munis de plateaux pour y déposer pinceaux, tubes de couleurs, couteaux, etc. Le modèle de la figure 108 comporte une fixation permettant d'incliner la toile vers l'avant pour travailler plus à l'aise, d'éliminer les reflets, etc.

107

108

109

la palette

Signac, le premier peintre *pointilliste*, parle ainsi de son ami Seurat, autre pointilliste: «Il note le contraste, distingue le reflet, joue avec le couvercle de la boîte de conserves qui lui sert de palette.»

Geneviève Laporte demande à Picasso:

«—Mais, toi, tu n'utilises pas de palette?

—Non, répond Picasso, tu vois bien: ma palette, c'est un journal. Quand la page est pleine, je l'arrache et je la jette... parfois cela me fait de la peine, car ma palette finit souvent par donner un bon tableau. Matisse a plus de chance que moi: lui, il se sert d'une assiette.»

Il est dommage que Picasso n'ait pu connaître cette toute dernière nouveauté: on trouve maintenant couramment dans le commerce des palettes en papier! Il s'agit d'un simple bloc de feuilles de papier sulfurisé, découpé en forme de palette, dont l'intérêt principal est de permettre «d'étrenner» une palette chaque fois qu'on le désire, en arrachant simplement la feuille déjà entamée.

Mais ce type de palette en papier ne convient pas à tout le monde; on peint d'ordinaire avec une palette en bois de forme rectangulaire ou ovale, suivant son goût. Si vous vous reportez, par curiosité, à la page 49, vous constaterez que Courbet, il y a plus d'un siècle, peignait déjà avec une palette rectangulaire; Bazille, lui, à peu près à la même époque, avait fixé au mur de son atelier (sur le mur de droite) une palette de forme ovale. Certes, de nos jours, les palettes rectangulaires se vendent mieux que les palettes ovales; selon moi, non pour leurs avantages ou leurs inconvénients respectifs, mais plutôt pour leur plus grande simplicité de fabrication, d'où une offre plus importante des formes rectangulaires.

Il existe enfin la palette en plastique, tout à fait acceptable, d'un entretien particulièrement facile.

Personnellement, peu m'importe la forme rectangulaire ou ovale de la palette, pourvu qu'elle soit en bois.

Fig. 110, 111 et 112.— Modèles courants de palette, rectangulaire ou ovale. La dernière, rectangulaire, de couleur blanche, est en plastique. Actuellement, je crois que l'on préfère la palette rectangulaire à la palette ovale. Peut-être par simple habitude, parce que toutes les boîtes de peinture contiennent des palettes rectangulaires. Mais, d'un point de vue technique, cela n'a aucune espèce d'importance. La dernière de ces palettes (fig. 112) est en plastique, matériau généralement peu apprécié par les artistes, mais d'un entretien très facile. Personnellement, je me sers de palettes en bois.

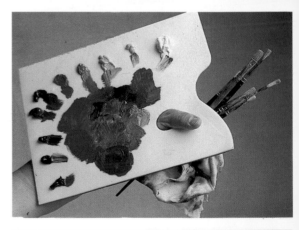

Fig. 113.— Godets à huile; récipients contenant de l'huile de lin et de l'essence de térébenthine, utilisés au cours de la séance de peinture et fixés par une pince à ressort sur l'un des bords de la palette (on la distingue sur la fig. 110).

boîtes de peinture

La boîte portable de peinture fait partie du matériel nécessaire à l'artiste pour peindre en plein air, la campagne, la ville ou la mer. La boîte de peinture peut également servir d'élément d'appoint, quand on peint dans son atelier, pour ranger pinceaux, tubes et chiffons.

Le modèle le plus courant est celui présenté fig. 116: cette boîte permet de transporter la palette encore couverte de peinture fraîche sans la nettoyer et, grâce à un système de fixation, elle facilite également le transport d'un support ou d'un carton entoilé n° 5 fraîchement peint, sans risque de taches. Ce dispositif particulier et l'inclinaison spéciale du couvercle permettent de peindre sans recourir à un chevalet.

Mentionnons les modèles reproduits à petite échelle fig. 114 et 115. Le premier (ci-dessous) est entièrement en plastique et peut contenir tubes, flacons, godets et pinceaux.

Fig. 115. — Boîte de peinture en bois, aux dimensions réduites, solide. d'un emploi aisé et fonctionnel.

115

Fig. 116. — Boîte de peinture. Modèle classique en bois et à compartiments métalliques. Elle facilite le transport de tout l'équipement nécessaire à la peinture d'extérieur. Les liteaux de bois placés dans le couvercle permettent de transporter un carton entoilé N.º 5, fraîchement peint et encore humide, tout en le maintenant isolé de la palette et du fond de la boîte.

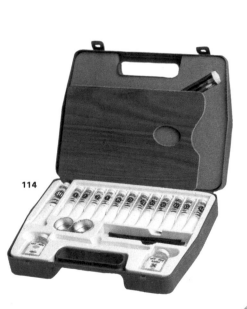

114

Fig. 114. — Boîte de peinture en plastique moulé, permettant de ranger soigneusement tubes, pinceaux, diluants, etc.

116

Personnellement, je crois que le modèle de la fig. 115 est le mieux adapté et le plus pratique, en bois de qualité et d'une finition parfaite. Les dimensions réduites de cette boîte fabriquée par Schmincke —34 cm de long, 16,5 de large et 5 cm de hauteur— lui donnent un caractère très fonctionnel.

toiles, cartons, supports

Les toiles spécialement conçues pour la peinture à l'huile sont en lin ou en coton. Certains artistes peignent sur toile de chanvre, mais il s'agit là de cas exceptionnels. La toile de lin est certainement la meilleure; elle se distingue par sa rigidité et sa couleur gris-ocre soutenu; le coton est plus doux au toucher et de teinte gris clair. Certains fabricants teignent le coton pour lui donner l'apparence du lin.

L'artiste peut choisir entre toiles à grain fin, moyen ou gros, comportant *une ou plusieurs couches de préparation*. *La préparation* est une couche de colle de «peau de lapin», dite également «colle de menuisier», mêlée à du plâtre (blanc d'Espagne) et à de l'oxyde de zinc, qui prépare la toile —bois, carton, ou tout autre support— et assure une meilleure adhérence et la conservation future de la peinture à l'huile. La formule d'impression mentionnée ci-contre se présente sous forme d'une couche de couleur blanche, mais il suffit d'ajouter une terre de teinte grise ou sienne pour obtenir une préparation de couleur analogue à celle utilisée par Rubens (gris), ou Titien et Vélasquez (rouge de Venise).

De nos jours, la préparation du support peut se faire à l'enduit acrylique ou avec une peinture spéciale («le blanc d'impression» de Windsor et Newton, par exemple).

On peut se procurer la toile soit montée sur châssis soit à la pièce, au mètre. La toile à la pièce a de 0,70 à 2 m de large. Un châssis est un cadre de bois muni à ses angles internes de sortes de chevilles —ou clés— également en bois, qui permettent, en les enfonçant, de tendre ou de relâcher la toile.

L'ancien panneau de bois s'est transformé aujourd'hui en un mince panneau de contre-plaqué ou d'aggloméré, à la fois solide, rigide et souple. On peut le préparer avec une simple couche de colle de menuisier très fluide.

Pour réaliser croquis, notes et tableaux de petit format, on se sert couramment de cartons préparés, aux fonds d'impression blancs, lisses et mats. On peut préparer le carton, comme le bois, en couvrant les deux faces, afin d'éviter les déformations dues à l'humidité.

Il existe également des cartons entoilés, c'est-à-dire garnis de toile et n'exigeant aucune préparation. Remarquons enfin, que pour des projets et des esquisses de taille réduite, le papier à dessin de qualité supérieure convient parfaitement.

LA PRÉPARATION DU SUPPORT

On trouve dans le commerce un grand choix de toiles montées sur châssis, cartons, bois, etc., parfaitement préparées, dans tous les formats et toutes les qualités, standard ou supérieure. Il me paraît donc absurde de perdre son temps à préparer soi-même sa toile, à fabriquer le châssis, à le monter et de courir ainsi des risques inutiles. Mais... afin de ne pas négliger ce point, au cas où quelqu'un se trouverait un jour obligé de le faire, je vous présente ci-dessous une formule d'impression et la manière de la réaliser:

Encollage
Ingrédients:
70 g de colle de menuisier (colle de Cologne ou de «peau de lapin») et un litre d'eau.

Laisser tremper la colle pendant 24 h. afin qu'elle ramollisse et se gonfle. La chauffer ensuite au bain-marie et l'appliquer au pinceau sur la toile (2 ou 3 couches), à chaud.

Impression
Ingrédients:
1/5 de plâtre naturel ou de craie (blanc d'Espagne ou blanc de Meudon), 1/5 de blanc de zinc, 2/5 d'eau et 1/5 d'eau de colle tiède.
Mélanger d'abord le plâtre au blanc de zinc et à l'eau, jusqu'à obtention d'une pâte onctueuse mais fluide; chauffer au bain-marie et ajouter l'eau de colle. L'application sur la toile se fait à chaud et en trois couches passées dans tous les sens.

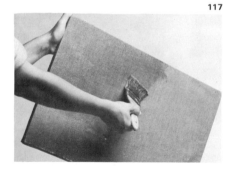
117

11

Fig. 117.— PRÉPARATION D'UNE TOILE. On étale trois ou quatre couches de colle de lapin, à chaud, composée de 70 grammes de colle pour un litre d'eau.

Fig. 118.— On mélange une part de plâtre (blan d'Espagne) et une part égale d'oxyde de zinc; o ajoute une à trois parts d'eau de colle tiède fluide.

119

12

Fig. 119.— On chauffe ce mélange au bain-marie.

Fig. 120.— On l'applique enfin sur la toile, chaud, en étendant la pâte au moyen d'u pinceau ou d'une spatule et en prenant soi d'appliquer trois couches dans tous les sens.

Fig. 121.— SUPPORTS POUR PEINTURE À L'HUILE: 1. Échantillon de toile de coton reconnaissable à la régularité de la trame. 2. Toile de lin, de teinte plus foncée que le coton et d'une trame irrégulière: le meilleur support pour la peinture à l'huile. L'un des fabricants européens les plus sérieux à cet égard est Classens, en Belgique, prestigieuse vieille maison. 3. Toile de jute. Quelques peintres s'en servent encore, mais ils sont de plus en plus rares, car l'épaisseur de la texture présente de grands inconvénients. 4. Toile de coton, de qualité courante, préparée. 5. Toile de lin de qualité standard, préparée. 6. Toile de lin de la maison Classens. Les toiles présentent différentes épaisseurs de trame, la plus serrée étant de meilleure qualité et vice versa. 7. Carton entoilé. 8. Dos d'un panneau de bois de type *Tablex*. 9. Bois en contreplaqué. 10. Panneau de chêne (il peut être d'un autre bois). 11. Carton ou bois préparé en blanc. 12. Carton entoilé avec impression acrylique. 13. Carton gris épais (on peut le préparer avec une simple couche de colle, ou en le frottant avec une gousse d'ail). 14. Papier à dessin de couleur, type Canson.

mesures internationales des châssis

Toiles montées sur châssis, cartons et panneaux sont classés selon leurs dimensions par un numéro indiquant la mesure et une définition thématique précisant le format du tableau. Cette définition correspond aux trois thèmes suivants: *figure, paysage, marine.* Le format des châssis ou cadres correspondant à *figure* est plus carré que celui de *paysage;* celui de *marine* est plus allongé, c'est-à-dire à «l'italienne» (voir les figures 122, 123, 124). Dans la pratique, cependant, l'artiste n'est pas tenu de suivre à la lettre cette espèce de canon. Certains artistes peignent des paysages sur des châssis de «figure» et inversement. Plus encore, de nos jours, et de tout temps, certains artistes ont peint sur des châssis aux «dimensions spéciales».

De toutes façons, il existe une table internationale des mesures respectée par les fabricants, de telle sorte que l'artiste choisit l'une des mesures de la table, se rend à la boutique et demande simplement un châssis «figure» (ou «paysage» ou «marine») de tel numéro... Le numéro du châssis détermine généralement le prix du tableau suivant le schéma ci-après: tout d'abord, le numéro du châssis se traduit ou se transforme en points. Un châssis n° 4 représente 4 points, un châssis n.° 30 représente 30 points. On attribue ensuite à chaque peintre, selon sa cote personnelle, une

N°	FIGURE	PAYSAGE	MARINE
1	22 × 16	22 × 14	22 × 12
2	24 × 19	24 × 16	24 × 14
3	27 × 22	27 × 19	27 × 16
4	33 × 24	33 × 22	33 × 19
5	35 × 27	35 × 24	35 × 22
6	41 × 33	41 × 27	41 × 24
8	46 × 38	46 × 33	46 × 27
10	55 × 46	55 × 38	55 × 33
12	61 × 50	61 × 46	61 × 38
15	65 × 54	65 × 50	65 × 46
20	73 × 60	73 × 54	73 × 50
25	81 × 65	81 × 60	81 × 54
30	92 × 73	92 × 65	92 × 60
40	100 × 81	100 × 73	100 × 65
50	116 × 89	116 × 81	116 × 73
60	130 × 97	130 × 89	130 × 81
80	146 × 114	146 × 97	146 × 90
100	162 × 130	162 × 114	172 × 97
120	195 × 130	195 × 114	195 × 97

MESURES INTERNATIONALES DE CHÂSSIS

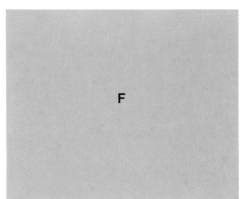

F

P

M

122

123

valeur par point: on dit, par exemple, que tel artiste a une valeur par point égale à 500 francs. On multiplie enfin la valeur du point par le numéro du tableau et on obtient le prix de vente du tableau. Par exemple, cet artiste dont le point vaut 500 francs vendra 20.000 francs un tableau n° 40.

Fig. 125.— Toile montée sur châssis de bois. Remarquez, sur le châssis, le signe 12F, signifiant *Toile N° 12-Figure.*

125

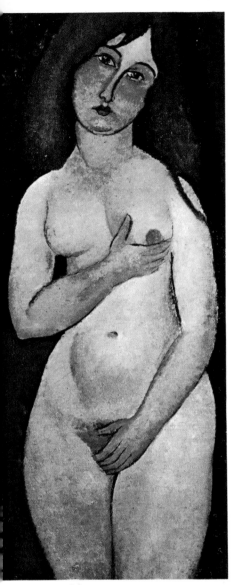

Fig. 126.— Amadeo Modigliani, *Nu debout*. Collection particulière, Paris. © by A.D.A.G.P., 1983. Modigliani peignit ce nu sur une toile de 100×65 cm, dont les dimensions spéciales sont parfaitement étrangères aux mesures internationales de châssis.

Fig. 127. — Pablo Picasso, *Au Lapin agile (Arlequin au verre)*. Collection Charles S. Payson, Manhasset, New York. © by S.P.A.D.E.M., 1983. Le tableau mesure 99 cm de haut sur 103 cm de large, dimensions presque carrées, en complète rupture, elles aussi, avec la norme.

127

126

La table de mesures internationales de châssis fut probablement conçue par l'un des premiers fabricants de toiles, il y a environ 130 ans. Les dimensions de nombreux tableaux du milieu du dix-neuvième siècle correspondent déjà à celles de la table ci-contre; mais à cette époque, comme à la nôtre d'ailleurs, certains artistes n'adoptent pas les mesures standard et choisissent des châssis faits sur mesure, aux dimensions particulières, correspondant davantage au cadrage spécialement conçu pour un thème donné. Sur cette page, vous trouverez quelques exemples de mesures hors série, pour des tableaux peints par Modigliani, Picasso et Degas. Rien ne vous oblige donc à respecter des dimensions standard... C'est la norme, toutefois, dans 90% des cas.

128

Fig. 128.— Edgard Degas, *La classe de danse,* Musée du Jeu de Paume, Louvre, Paris. En principe, les dimensions du tableau semblent correspondre au type "figure", mais non, Degas choisit également pour cette œuvre un châssis d'une mesure spéciale: 85×75 cm.

comment construire un châssis et monter la toile

J'insiste sur ce point: il est plus pratique et plus sûr de se procurer un châssis tout fait, plutôt que de le monter soi-même; mais, on peut se trouver par hasard loin d'un lieu de vente ou parfois même, avoir jeté une toile et disposer ainsi d'un châssis vide. De toutes façons, il peut être utile de savoir construire un châssis et monter une toile.

Comme vous pouvez le voir sur l'illustration ci-dessous (fig. 129), outre la toile, les quatre montants de bois servant à construire le cadre du châssis, le marteau et la scie, il vous faut des petites chevilles en bois (ou clés), une pince spéciale (dite «pince à tendre»), à larges bords, permettant de tendre la toile, et une agrafeuse, type pistolet, semblable à celle qu'utilisent les décorateurs. Vous pourrez suivre les différentes étapes de ce montage à travers la série d'illustrations des figures 130 à 141.

CONSTRUCTION DU CHÂSSIS ET MONTAGE DE LA TOILE

Fig. 130, 131 et 132. — Le système d'assemblage d'un châssis présente deux particularités. Tout d'abord, les montants sont plus épais du côté externe que du côté interne (fig. 131, A et B); cette différence affecte la face supérieure du montant, c'est-à-dire celle qui sera recouverte par la toile, de telle sorte que cette dernière soit séparée de 2 ou 3 mm par rapport à l'angle C (fig. 131 et 132), et que celui-ci ne puisse abîmer le tableau.

Fig. 133.— Les montants ne se collent pas, ils s'ajustent parfaitement grâce à l'assemblage, au montage de la toile clouée sur le châssis et aux clefs qui déplacent légèrement les montants pour tendre la toile et former un ensemble solide et résistant.

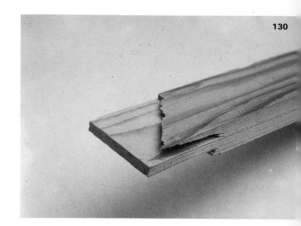

130

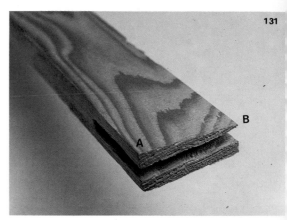

131

132

133

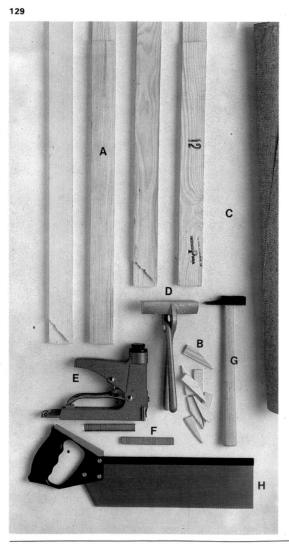

129

Fig. 129.— Matériel nécessaire à la construction d'un châssis et au montage d'une toile: A, montants du châssis. B, clefs de bois servant à fixer le châssis. C, toile. D, pince spéciale, à larges bords (dite "pince à tendre") pour monter et tendre la toile. E, agrafeuse, type pistolet. F, agrafes. G, marteau. H, scie.

Fig. 134.— Une fois le châssis monté sans les clefs, nous coupons la toile, en la laissant dépasser d'environ 4 cm de chaque côté du châssis.

Fig. 135.— Le châssis et la toile mis sur chant, on pose la première agrafe au milieu de l'un des montants les plus longs.

Fig. 136.— On retourne le châssis et la toile; avec la pince, on étire et on tend la toile, tout en posant la deuxième agrafe.

Fig. 137.— On place alors le châssis et la toile en position verticale et on pose la troisième agrafe au centre de l'un des montants les plus courts. On répète l'opération du côté opposé, en tendant la toile à l'aide de la pince. A cet endroit, l'agrafage et la tension de la toile font un tout petit pli, en forme de losange, preuve que le montage est réussi.

Fig. 138.— En tendant la toile, toujours à l'aide de la pince, on continue à poser des agrafes les unes à côté des autres, jusqu'à obtention du résultat visible sur la figure suivante.

Fig. 139.— La toile est maintenant fixée au châssis; il n'y a plus qu'à achever le montage aux angles.

Fig. 140 et 141.— Pliage de la toile aux angles et agrafage du pli de coin pour achever le montage. Il suffit alors de placer et de clouer les chevilles pour pouvoir considérer la tâche comme terminée.

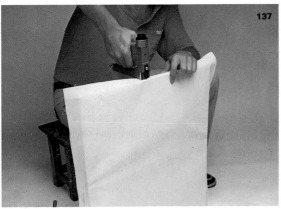

NOTE. Pour clouer la toile sur le châssis, on peut également recourir au système traditionnel en usage chez les tapissiers, et utiliser ces petits clous à pointe fine nommés «semences». L'emploi de l'agrafeuse est toutefois plus rapide et très sûr, si l'on agrafe deux fois, sur le chant et sur la toile rabattue sur le châssis (fig. 141). Enfin, les agrafes suppriment le problème d'une éventuelle oxydation (inconvénient lié à l'emploi de clous).

les brosses

Les brosses* couramment utilisées pour la peinture à l'huile, sont en *soie de porc*. Mais on utilise également, pour certaines surfaces, des brosses en *poils de martre* ou en *poils de mangouste*. Depuis peu, on trouve sur le marché des brosses en *poils synthétiques*, mais je crois, en toute bonne foi, que ni leur qualité, ni leur caractère fonctionnel, ne les rendent supérieures aux brosses en soie de porc. Ces dernières sont plus dures et plus raides; on peut les frotter et les laver sans crainte de voir les poils se coller les uns aux autres. La brosse en poil de martre ou de mangouste convient mieux à une facture délicate; la couche de peinture est lisse et plus régulière. On l'utilise aussi pour le dessin et la couleur de petites formes, détails, traits fins, etc. Les brosses pour peindre à l'huile se présentent sous trois formes (fig. 143):

A) brosse à extrémité dite «langue de chat»
B) brosse à extrémité arrondie
C) brosse à extrémité plate.

Une brosse, comme un pinceau, se compose d'un manche, d'une virole et d'une touffe de poils; la virole est la partie métallique qui enserre les poils. Le manche des brosses pour peindre à l'huile est plus long que celui des autres pinceaux; on peut ainsi le saisir plus haut et se tenir à une certaine distance du tableau en cours, le bras presque tendu, pour élargir l'angle de vision. L'épaisseur de la touffe de poils et de toute la brosse est indiquée par un chiffre gravé sur le manche, allant du 0 au 24 et progressant de deux en deux (0, 2, 4, 6, 8, 10, etc.).

*- On parle de *brosse* et non de *pinceau* pour la peinture à l'huile, le terme de *pinceau* étant réservé à la gouache et à l'aquarelle.

ASSORTIMENT DE BROSSES D'USAGE COURANT

1 brosse ronde, poil de martre, n° 4.
1 brosse plate, soie de porc, n° 4.
1 pinceau rond, dit «meloncilo», poil de mangouste, n° 6.
2 brosses plates, soie de porc, n° 6.
1 brosse «langue de chat», soie de porc, n° 6.
3 brosses plates, soie de porc, n° 8.
1 brosse «langue de chat», soie de porc n° 8.
2 brosses plates, soie de porc, n° 12.
1 brosse «langue de chat», soie de porc, n° 14.
1 brosse plate, soie de porc, n° 20.

142

143

Fig. 142.— Types de brosses pour peindre à l'huile: de gauche à droite: A, pinceaux en poil de mangouste, dit «meloncilo»; B, brosses en poil synthétique; C, brosses en poil de martre; D, brosse en poil de martre, en forme d'éventail, réservée aux fondus et aux dégradés très doux.

Fig. 143.— Trois brosses en soie de porc, qualité d'usage courant chez le peintre professionnel, sous ses trois formes caractéristiques: A, à extrémité ronde; B, à extrémité en forme de «langue de chat»; et C, à extrémité plate.

144

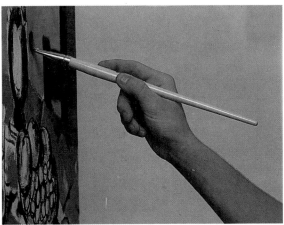

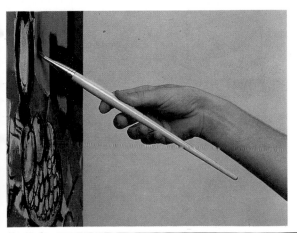

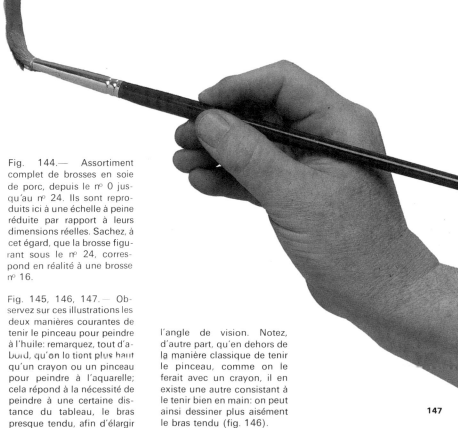

Fig. 144.— Assortiment complet de brosses en soie de porc, depuis le n° 0 jusqu'au n° 24. Ils sont reproduits ici à une échelle à peine réduite par rapport à leurs dimensions réelles. Sachez, à cet égard, que la brosse figurant sous le n° 24, correspond en réalité à une brosse n° 16.

Fig. 145, 146, 147. — Observez sur ces illustrations les deux manières courantes de tenir le pinceau pour peindre à l'huile: remarquez, tout d'abord, qu'on le tient plus haut qu'un crayon ou un pinceau pour peindre à l'aquarelle; cela répond à la nécessité de peindre à une certaine distance du tableau, le bras presque tendu, afin d'élargir l'angle de vision. Notez, d'autre part, qu'en dehors de la manière classique de tenir le pinceau, comme on le ferait avec un crayon, il en existe une autre consistant à le tenir bien en main: on peut ainsi dessiner plus aisément le bras tendu (fig. 146).

147

entretien des pinceaux ou brosses

Avec un pinceau vieux en bon état on peint mieux qu'avec un pinceau neuf. Et comme les pinceaux sont chers, il faut en prendre soin et les entretenir. Si vous avez un tableau en cours, il n'y a pas de problèmes; il est même possible d'interrompre quelques heures la séance sans nuire pour autant à l'état des pinceaux. Mais, du jour au lendemain, surtout lorsque le tableau est terminé et que l'on n'a pas l'intention de continuer à peindre, il est indispensable de les nettoyer à fond, jusqu'à leur redonner l'aspect du neuf. A cet égard, la formule la plus pratique semble être de les laver et de les frotter à l'essence de térébenthine, mais l'usage a prouvé depuis toujours, que le meilleur système consiste à les laver à l'eau et au savon. Nous vous montrons, à partir des illustrations de cette page (fig. 148 à 153), comment entretenir et conserver les pinceaux.

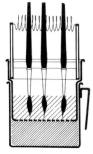

Fig. 148 et 149. — Lave-pinceaux et brosses, muni d'un double fond et dont la partie supérieure amovible, est percée de trous. En remplissant le récipient d'essence de térébenthine, le dépôt de peinture laissé par les pinceaux tombe au fond et l'on peut ensuite laver les pinceaux dans une essence plus propre. Un ressort à la partie supérieure du récipient permet de maintenir les pinceaux plongés dans le liquide, à la verticale.

149

148

150

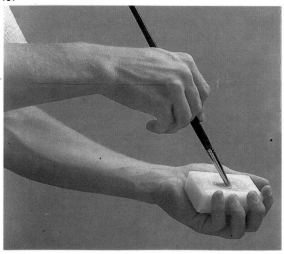

152

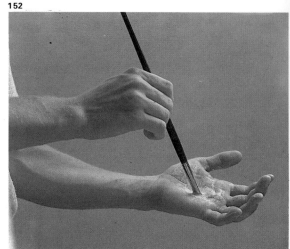

Fig. 150, 151, 152 et 153. — Une des tâches les plus ingrates de l'artiste peintre consiste à laver les pinceaux après la séance de peinture à l'huile. Le professionnel tente parfois de différer cette tâche fastidieuse en essuyant d'abord les pinceaux avec du papier journal, puis un chiffon; il les laisse ensuite tremper dans une assiette pleine d'eau, jusqu'à la prochaine séance, le jour suivant ou deux jours après au plus tard. Mais le lave-pinceaux décrit ci-dessus, ou le recours à l'assiette d'eau ne peuvent être que des solutions provisoires et ne sauraient dispenser d'un sérieux nettoyage des pinceaux à l'eau et au savon selon la méthode traditionnelle. On frotte les soies dans le creux de la main en faisant pression pour éliminer la peinture; on les passe à l'eau... on les frotte à nouveau sur le savon etc., etc., jusqu'à ce que la mousse soit blanche et le pinceau vraiment propre. Placez les manches de pinceau à la verticale dans un vase ou un pot, après avoir ordonné les soies que vous aurez soin de laisser sécher à l'air.

151

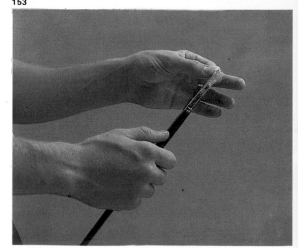

153

spatules, appuie-main et matériel divers

Vous le savez sans doute, la spatule est un outil semblable à un couteau; elle est munie d'un manche en bois et d'une lame en acier, flexible, à l'extrémité arrondie et non tranchante. Les spatules les plus caractéristiques ont la forme d'une truelle de maçon; elles servent à effacer, en grattant la peinture, à nettoyer la palette et à peindre —peinture dite au couteau. Dans ce cas, on utilise la spatule au lieu du pinceau.

L'appuie-main est une sorte de bâton long et mince terminé par une embout rond qu'on utilise pour soutenir la main lorsqu'on peint sur de petites surfaces, afin d'éviter de tacher le reste du tableau.

Mentionnons enfin: les fusains pour l'esquisse du tableau, le fixateur en spray pour la fixer, des coupures de journaux, des chiffons pour retirer les traces de peinture et nettoyer pinceaux et porte-châssis, lorsqu'on peint en extérieur.

154

155

Fig. 154.— De gauche à droite, extrémités d'un appuie-main et six spatules; la dernière est en plastique et ne peut servir qu'à nettoyer la palette. Parmi les cinq spatules en métal, celle du centre a la forme d'un couteau et celles placées des deux côtés, la forme d'une truelle de maçon.

Fig. 155.— Vous voyez sur cette photo un peintre utilisant l'appuie-main pour tracer les contours d'un tronc d'arbre élancé; il appuie la main droite, celle qui tient le pinceau, sur le manche de l'instrument.

Fig. 156.— Le matériel se compose également de coupures de journaux et chiffons pour essuyer pinceaux et palette, fusains, spray fixateur pour fixer l'esquisse au fusain et enfin porte-châssis permettant de transporter deux toiles, et d'éviter de salir celle qui vient d'être peinte.

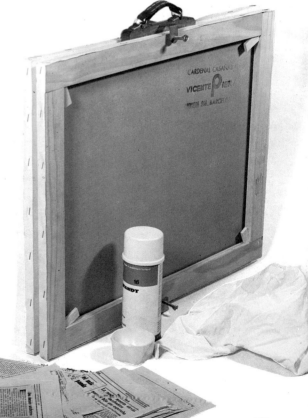

156

diluants et vernis

La couleur à l'huile, au sortir du tube, est parfois trop épaisse. Pour la diluer, la rendre plus fluide, peindre des fonds, des glacis, retoucher, etc., l'artiste emploie des huiles, des médiums et des vernis. Voici les plus importants:

Huiles

Distinguons, parmi d'autres, l'huile de lin, l'huile d'œillette et l'huile de noix.

HUILE D'ŒILLETTE: elle est extraite d'une variété de pavot; c'est une huile raffinée, presque incolore, employée dans la fabrication des couleurs à l'huile. Elle est très stable, a moins tendance que l'huile de lin à former des rides en surface; mais elle sèche plus lentement. Elle convient parfaitement à la peinture des glacis.

HUILE DE LIN: c'est la plus connue et la plus utilisée des huiles siccatives. On l'extrait des graines de lin, plantes dont les fibres entrent également dans la fabrication des toiles à peindre. Elle est de teinte jaune clair, elle sèche en trois ou quatre jours, avive les couleurs et dilue bien la peinture. On l'emploie rarement seule, mais plutôt mélangée à de l'essence de térébenthine, comme nous le verrons plus loin.

HUILE DE NOIX: on l'obtient par pressage de noix mûres; elle est très fluide, parfaitement adaptée à un style de peinture exigeant la finesse du trait ou de la ligne, la minutie du contour et du fini. Elle est analogue à l'huile d'œillette, et, comme elle, sèche lentement.

ESSENCE DE TÉRÉBENTHINE RECTIFIÉE: huile maigre, légère, volatile, obtenue par distillation de baumes résineux d'une certaine variété de pin (conifère). On l'emploie particulièrement au tout début du tableau, au moment où l'on ébauche les premiers traits et où l'on passe sur la toile une couche légère de peinture. Si l'on utilise l'essence de térébenthine comme seul diluant, la peinture prend un aspect mat et terne. Il faut l'employer en petites quantités, afin que la couleur ne perde pas sa densité, nécessaire pour adhérer à la toile ou au support et pour s'y fixer. L'essence de térébenthine sert aussi à effacer des surfaces peintes et à enlever les taches de peinture sur les vêtements —il faut agir, en ce cas, avant qu'elle ne soit sèche; elle sert enfin à nettoyer pinceaux, spatules et palettes, à se laver les mains, etc. A cette fin, on peut toutefois utiliser de l'essence de térébenthine ordinaire. Il est recommandé de ne pas l'exposer au soleil afin d'éviter qu'elle n'épaississe ou ne devienne résineuse. Elle est inflammable.

Médiums

Le médium est un diluant de la peinture à l'huile composé d'un mélange de résines synthétiques, de vernis siccatifs et d'essences à évaporation plus ou moins lente. On peut se

Fig. 157.— On trouve sur le marché plus de vingt diluants, huiles, essences et vernis pour peindre à l'huile. Vous pouvez, si vous le souhaitez, les essayer les uns après les autres; mais, pour moi, les seuls produits indispensables sont l'huile de lin, l'essence de térébenthine rectifiée, un vernis de retouche et le vernis protecteur final. Il faut aussi s'habituer à employer un médium normal, tout prêt, et non le médium classique préparé par l'artiste avec de l'huile de lin et de l'essence de térébenthine en proportions égales.

157

procurer les médiums tout prêts, en flacons délivrés par des marques sérieuses comme Talens. Mais on recourt encore fréquemment à la formule classique préparée par l'artiste, à base d'huile de lin et d'essence de térébenthine rectifiée, en proportions égales. Outre ce médium tout à fait acceptable, en voici d'autres de la marque citée en référence:

MÉDIUM NORMAL REMBRANDT: composé de résine synthétique, d'huiles siccatives végétales et de diluant à évaporation lente. On peut l'employer à tous les états de l'œuvre, de l'ébauche à l'achèvement; il ne présente aucun inconvénient futur par excès ou par défaut de gras ou de maigre.

MÉDIUM REMBRANDT À SÉCHAGE RAPIDE: semblable au précédent mais de séchage plus rapide grâce à l'adjonction de siccatifs et d'un diluant plus volatile. On l'emploie également à toutes les phases du tableau.

Vernis

Distinguons entre vernis de retouche et vernis de protection.

VERNIS DE RETOUCHE: composé de résine synthétique et de diluants volatiles; il sèche rapidement et garde au tableau tout son éclat. Pour retoucher des zones «d'embus», mates, ternies par absorption de l'huile aux couches inférieures.

Si l'on repasse ces surfaces au vernis de retouche, les couleurs retrouvent leur éclat normal et leur intensité.

VERNIS DE PROTECTION: on l'applique sur le tableau achevé et parfaitement sec. Un séchage complet et absolument sûr exige, en général, un délai d'un an, en fonction des conditions atmosphériques et de l'épaisseur de la pâte. Disons, enfin, qu'il existe actuellement des vernis brillants et des vernis mats vendus en flacons ou en aérosols.

GRAS SUR MAIGRE

Afin d'éviter qu'une peinture ne s'altère avec le temps et ne se craquelle, il est indispensable de peindre les premières couches en recourant davantage à l'essence de térébenthine qu'à l'huile de lin. La peinture à l'huile —à plus forte raison si l'on emploie l'huile de lin comme diluant— est *grasse*; diluée à la térébenthine, elle est *maigre*. Une couche de peinture grasse sèche plus lentement qu'une couche de peinture maigre. Si, par erreur, on peint maigre sur gras, la couche maigre sèche plus vite que la couche grasse et lorsque cette dernière commence à sécher, celle du dessus se tend et se fissure: le tableau porte alors des craquelures. Peignez toujours gras sur maigre!

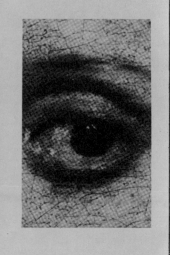

couleurs à l'huile

Certains estiment encore à notre époque qu'un véritable artiste peintre doit fabriquer lui-même ses couleurs, à l'exemple des maîtres du passé, et refuser de les acheter déjà toutes préparées, sous prétexte qu'elles ne sauraient alors offrir une garantie absolue de qualité et avec le temps, risquent de s'altérer, de provoquer des craquelures, etc... Si vous désirez vous faire une idée sur la question, allez interroger des professionnels, et vous constaterez qu'aucun peintre actuel ne fabrique ses propres couleurs à l'huile. Tous, sans exception, les trouvent déjà prêtes dans le commerce. Ce qui n'interdit pas, pour autant, de savoir comment et avec quoi se font les couleurs à l'huile.

Deux éléments de base entrent dans la composition des couleurs à l'huile:

A) LES COULEURS OU PIGMENTS, présentant d'ordinaire l'aspect d'une poudre, nommées terres, classées en couleurs «organiques», d'origine végétale ou animale, et en couleurs «inorganiques» ou minérales.

Ces terres sont mélangées à des substances

158

liquides pour obtenir l'épaisseur de pâte propre à la peinture à l'huile.

B) LES LIANTS, composés d'huiles grasses et légères, de résines, baumes et cires.

Vous pourrez étudier, à travers les illustrations ci-dessous, l'aspect pratique de ce bref exposé: la fabrication artisanale de couleurs à l'huile qui, j'y insiste, n'est pas recommandée à notre époque.

Et nous allons traiter des couleurs (page suivante), étudier les différences d'un blanc à un autre, les degrés de siccativité et le pouvoir couvrant des couleurs, etc. En un mot, ce qu'il vous importe de savoir pour peindre en toute connaissance de cause.

Fig. 158. — Le personnage que l'on voit sur cette illustration (dessin de Maurice Bousset d'après un tableau de Rickaert) est un artiste du XVIIᵉ siècle en train de broyer et de fabriquer des couleurs pour peindre à l'huile, comme le faisaient tous les artistes par le passé. On y remarque aussi la petite pièce attenante à l'atelier, sorte de cuisine ou de laboratoire rudimentaire où l'artiste de l'époque réalisait des expériences de toutes sortes. Ce type de cuisine n'a plus de raison d'être de nos jours, mais le souvenir en est resté dans l'expression, plutôt péjorative; «des tableaux où il y a beaucoup de cuisine», employée à propos d'œuvres dont la nature, la matière ou le traitement révèlent des matériaux, une préparation ou une manipulation peu courants.

159

160

161

162

Fig. 159 à 162. — Préparation artisanale de couleurs à l'huile. Les matériaux nécessaires sont: couleur, pigment en poudre, huile de lin, une plaque de verre ou de marbre, un pilon de mortier, une palette-spatule et un récipient destiné à la couleur préparée. On verse sur la plaque de marbre le pigment en poudre auquel on mêle très lentement l'huile de lin, et de la main droite on broie la couleur et on malaxe le mélange jusqu'à obtenir la consistance et la fluidité de la peinture à l'huile. Il convient d'effectuer cette opération avec le plus grand soin, pendant dix minutes ou un quart d'heure, afin d'éliminer les grumeaux et d'obtenir une pâte aussi homogène que possible; reprendre ensuite l'opération jusqu'à ce que le mélange des deux produits soit parfait.

163   **164**   **165**

Les couleurs à l'huile se composent de *blancs, jaunes, rouges, verts, bleus, bruns et noirs.*

1. LES BLANCS. Les plus courants sont le blanc de céruse (également nommé blanc d'argent), le blanc de zinc et le blanc de titane.
BLANC DE CÉRUSE OU D'ARGENT. Il est d'une extraordinaire opacité et d'une grande force couvrante; en outre, son degré de siccativité est tout à fait remarquable. Ces qualités se prêtent à une facture ou à une manière exigeant l'emploi d'une pâte épaisse; elles conviennent aussi à la peinture des fonds et des premiers états de la toile. C'est une substance très toxique, à base de plomb, il ne faut jamais l'oublier, surtout lorsque l'artiste désire fabriquer lui-même ses couleurs, le seul

fait d'en respirer une infime poussière peut entraîner de graves conséquences.
BLANC DE ZINC. Il est d'une tonalité plus froide que le blanc de plomb, il est moins dense, moins couvrant et d'une siccativité médiocre, ce qui présente un avantage pour un artiste préférant travailler sur fond encore un peu humide. Il n'est pas toxique.
BLANC DE TITANE. C'est un pigment moderne, par rapport aux deux précédents, très couvrant, très stable, très solide et d'une bonne siccativité. Il ne présente pas d'inconvénient particulier, et, de ce fait, est d'un emploi courant chez la plupart des artistes.
En peinture à l'huile, le blanc est une des couleurs les plus utilisées et, de ce fait, les tubes ont une plus grande contenance.

Fig. 163, 164 et 165. — De gauche à droite: Blanc de Céruse ou d'argent, blanc de zinc et blanc de titane. Ce dernier est le plus utilisé par la plupart des artistes.

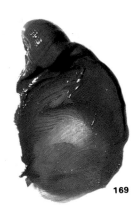

166   **167**   **168**   **169**

2. LES JAUNES. On peut citer, parmi les plus courants: le jaune de Naples, de chrome, de cadmium, l'ocre jaune et la terre de Sienne naturelle.
JAUNE DE NAPLES. Extrait de l'antimoniate de plomb, c'est l'une des couleurs les plus anciennes; il est opaque et d'une siccativité très satisfaisante. Toxique, comme toutes les couleurs à base de plomb, il peut être mélangé

à n'importe quelle autre couleur, sans subir d'altérations, à condition d'être pur et de bonne qualité. Rubens l'employait en particulier pour rendre les carnations.
JAUNE DE CHROME. Dérivé du plomb et par conséquent toxique, il présente diverses nuances, du plus clair tirant sur le jaune citron jusqu'au plus foncé, presque orangé. Il est opaque et sèche bien, mais il est fugace à la

Fig. 166 à 169. — De gauche à droite: Jaune de Naples, jaune de cadmium moyen, ocre jaune et terre de Sienne naturelle.

couleurs à l'huile

lumière et a tendance à noircir au cours des années, surtout dans ses nuances claires.

JAUNE DE CADMIUM. C'est une bonne couleur, puissante, brillante; elle sèche lentement et reste stable dans les mélanges, mais repousse les couleurs à base de cuivre.

OCRE JAUNE. C'est une couleur à base de terre, classique et parmi les plus anciennes, d'un grand pouvoir colorant et couvrant, inaltérable et susceptible d'être mélangée à toute autre couleur, à condition d'être pure.

On la fabrique aussi artificiellement, sans altérer ses qualités.

TERRE DE SIENNE NATURELLE. Également à base de terres, provenant de Sienne (Italie), c'est une belle couleur brillante, qui risque de noircir en raison de l'excessive quantité d'huile employée pour la diluer. Il n'est donc pas recommandé de s'en servir comme couleur de base pour peindre les grands fonds et les surfaces étendues.

170   171   172   173

3. LES ROUGES. Citons, parmi les plus courants: la terre de Sienne brûlée, le vermillon de cinabre, le rouge de cadmium et le carmin de garance.

TERRE DE SIENNE BRÛLÉE. De qualités comparables à la terre de Sienne naturelle, elle offre des nuances plus chaudes et plus soutenues; elle se prête cependant à toutes les techniques, y compris la peinture à l'huile et n'a pas tendance à noircir avec le temps. Les maîtres du passé et, en particulier les Vénitiens, l'utilisèrent abondamment. Certains auteurs soutiennent que Rubens l'avait choisie pour rendre les rouges brillants des carnations.

VERMILLON DE CINABRE. C'est une couleur d'un rouge lumineux, d'origine minérale et fabriquée aussi artificiellement. Elle est couvrante mais d'une siccativité médiocre. Elle a tendance à noircir si on l'expose au soleil. Il est déconseillé de la mélanger à des couleurs au cuivre ou au blanc de céruse.

ROUGE DE CADMIUM. Il remplace avantageusement le vermillon, car il reste fixe à la lumière. C'est une couleur brillante, solide, stable dans tous les mélanges, à l'exception des couleurs au cuivre, comme le vert opaque.

CARMIN DE GARANCE. C'est une couleur très solide, offrant une gamme étendue de roses,

de pourpres et de carmin. Elle est plutôt fluide et sèche lentement.

4. LES VERTS ET LES BLEUS. Les plus en usage sont les suivants: terre verte, vert permanent, vert émeraude, bleu de cobalt, bleu outremer et bleu de Prusse.

LE VERT PERMANENT OU FIXE. C'est un vert clair, lumineux, combinaison d'oxyde de chrome et de jaune citron de cadmium; cette couleur est stable et très solide.

TERRE VERTE. Dérivée de l'ocre, elle donne un vert tirant sur le brun. C'est une très ancienne couleur convenant à toutes les techniques, d'une siccativité relative et d'un pouvoir couvrant tout à fait satisfaisant.

VERT ÉMERAUDE. Il ne faut pas confondre avec le vert Schweinfurt ou vert opaque, parfois abusivement nommé «vert émeraude» sur certains nuanciers. Ce dernier présente de graves inconvénients et il est totalement à proscrire. Tel n'est pas le cas du vert émeraude, mentionné ici, considéré comme le meilleur des verts, par sa richesse de tonalité, sa stabilité et sa solidité.

BLEU DE COBALT. C'est une couleur métallique, non toxique, se prêtant admirablement à toutes les techniques. Il est couvrant et d'une bonne siccativité, mais appliqué sur des

Fig. 170 à 173. — De gauche à droite: Terre de Sienne brûlée, vermillon de Cinabre, rouge de cadmium et carmin de garance.

174   175   176   177   178

couches de peinture encore humides, il risque de craqueler. En peinture à l'huile et par suite de l'excès de diluant, il peut, avec le temps, prendre une légère teinte verdâtre. Il offre des nuances claires et foncées.

BLEU OUTREMER. Comme le précédent, il s'agit d'une couleur en usage chez les anciens, extraite du lapis-lazuli, pierre semi-précieuse, d'où son coût très élevé à l'époque. De nos jours, on la fabrique artificiellement; elle est stable, d'une opacité et d'une siccativité convenables. Elle existe aussi dans des tonalités claires ou foncées, mais tirant davantage sur le rouge que le bleu de cobalt.

BLEU DE PRUSSE. Il est d'un grand pouvoir couvrant; transparent, d'une bonne siccativité, il est fugace à la lumière (mais offre la particularité de retrouver sa teinte d'origine si on le laisse à nouveau un certain temps dans l'obscurité). Il est déconseillé de le mélanger au vermillon de cinabre et au blanc de zinc.

5. LES BRUNS

Les plus communs sont la terre d'ombre naturelle et terre d'ombre brûlée, la terre de Cassel ou brun Van Dyck.

TERRE D'OMBRE NATURELLE ET TERRE D'OMBRE BRÛLÉE. Toutes deux sont des terres naturelles, la seconde est produite par calcination. Elles sont très foncées. La terre d'ombre naturelle tire légèrement sur le vert; la terre brûlée est d'une tonalité plus chaude. Elles conviennent à toutes les techniques mais noircissent avec le temps. Elles sèchent très rapidement, il ne faut donc pas les appliquer en couches épaisses, afin d'éviter les craquelures.

TERRE DE CASSEL OU BRUN VAN DYCK. De tonalité sombre, semblable aux deux précédentes, mais tirant davantage sur le gris, c'est une couleur à éviter pour peindre les fonds à l'huile car elle a tendance à se craqueler. On peut l'employer pour les glacis, les retouches et les mélanges sur des surfaces plutôt limitées.

6. LES NOIRS.
Les plus connus sont le noir de fumée et le noir d'ivoire.

LE NOIR DE FUMÉE. D'une tonalité plutôt froide, il est stable et convient à toutes les techniques.

LE NOIR D'IVOIRE. De tonalité plus chaude, il est sans doute d'un noir plus profond que le précédent et se prête également à toutes les techniques picturales.

Fig. 174 à 178. — De gauche à droite: Vert fixe, vert émeraude, bleu de cobalt foncé, bleu outremer foncé et bleu de Prusse.

Fig. 179 à 182. — De gauche à droite: Terre d'ombre naturelle, terre d'ombre brûlée, brun Van Dyck et noir d'ivoire.

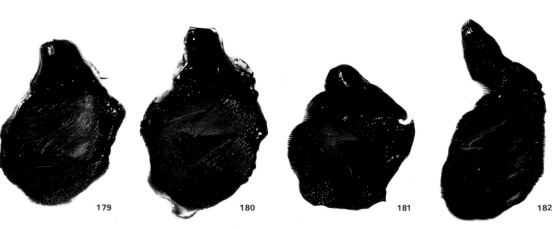

179   180   181   182

présentation des couleurs à l'huile

Les couleurs à l'huile sont présentées dans des tubes en étain munis d'un bouchon monté sur pas de vis. Elles existent en quatre ou cinq tailles, de contenance différente et en principe de deux qualités, *scolaire* (ou d'étude) et *professionnelle*.

La table ci-contre présente les mesures et les contenances des tubes de peinture à l'huile que vous pourrez trouver dans le commerce. Choisissez une taille et une contenance moyennes pour toutes les couleurs, sauf pour le blanc, dont il convient d'acheter un tube plus grand. A ce sujet, et d'après mon expérience, je vous recommande:

des tubes de 20 à 30 cc pour toutes les couleurs, des tubes de 60 cc pour le blanc.

Les tubes reproduits sur cette page, grandeur nature, rouge brillant (21 cc), vert Windsor (30 cc), et blanc de titane (60 cc), vous permettent de vous les représenter. Observez enfin, en bas de page, la reproduction de six tubes de couleurs, ceux de gauche, de qualité *scolaire* ou d'étude, et ceux de droite, de qualité *professionnelle*. Incontestablement, ces derniers sont de qualité supérieure —et par conséquent plus chers— mais la qualité scolaire est parfaitement acceptable, à condition de savoir choisir les marques.

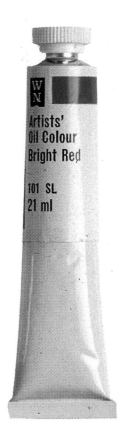

183

184

Fig. 183.— Trois modèles de tubes de peinture à l'huile, reproduits dans leurs dimensions réelles, et couramment utilisés par les professionnels. Notez, et ne l'oubliez pas, que le tube de blanc doit être plus grand, car c'est la couleur la plus employée.

Fig. 184.— Différentes marques de peinture à l'huile en tube: catégorie «scolaire» ou «pour études» (à gauche), et catégorie pour professionnels (à droite).

TABLES DES MESURES ET DES CONTENANCES DES TUBES DE PEINTURE A L'HUILE		
TUBES	**LONGUEUR**	**CONTENANCE**
6	105 mm	20 cm³
10	150 mm	60 cm³
13	200 mm	200 cm³

couleurs à l'huile fluides

185

On trouve depuis peu sur le marché les *couleurs à l'huile fluides;* peinture onctueuse, semi-liquide, aux caractéristiques suivantes: résistante à la lumière, elle est sèche au toucher en quelques heures; elle présente une pellicule brillante, permet de repasser une seconde couche au bout de six heures environ et, en quelques semaines, on peut la considérer comme parfaitement sèche. Ces couleurs à l'huile fluides peuvent être appliquées sur n'importe quel support: toile, bois, papier, plastique, verre, etc.

Il est conseillé de les diluer à l'essence de térébenthine. Ce diluant, qui peut être appliqué à l'aide d'un aérographe, permet de réussir des effets d'aquarelle. En ajoutant des charges à la peinture, on obtient une pâte épaisse pouvant être appliquée au couteau.

Fig. 185.— Les couleurs à l'huile fluides, dont il existe un assortiment de vingt-trois tons présentés en petites boîtes, permettent de peindre sur tout support et sont particulièrement recommandées pour recouvrir des surfaces importantes de couleur ou de ton régulier. Diluées à l'essence de pétrole (diluant proche de l'essence de térébenthine), les couleurs à l'huile fluides peuvent être appliquées à l'aérographe, ou utilisées pour créer des effets particuliers (transparences, glacis, craquelures).

En pulvérisant de l'eau sur une surface fraîchement peinte, on obtient des effets spéciaux.

La peinture à l'huile fluide, grâce à son pouvoir couvrant, convient à tous les thèmes; diluée à l'essence, elle permet de peindre l'aquarelle.

Ce type de peinture a toutefois sa thématique et ses dimensions propres. Nous nous référons ici à la peinture abstraite et à la peinture murale traitées par de grands aplats de couleur.

Fig. 187.— Joan Ponç, *Personnage en rouge,* 1967-1968. Huile sur toile 125×125 cm. Les couleurs à l'huile fluides conviennent parfaitement à la facture et à la thématique de ces deux tableaux.

187

Fig. 186.— Luis Feito, *Numero 935,* 1972. Huile, 160×130 cm.

186

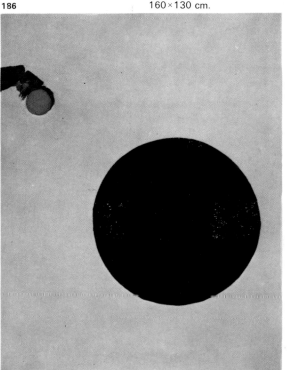

nuancier de couleurs à l'huile

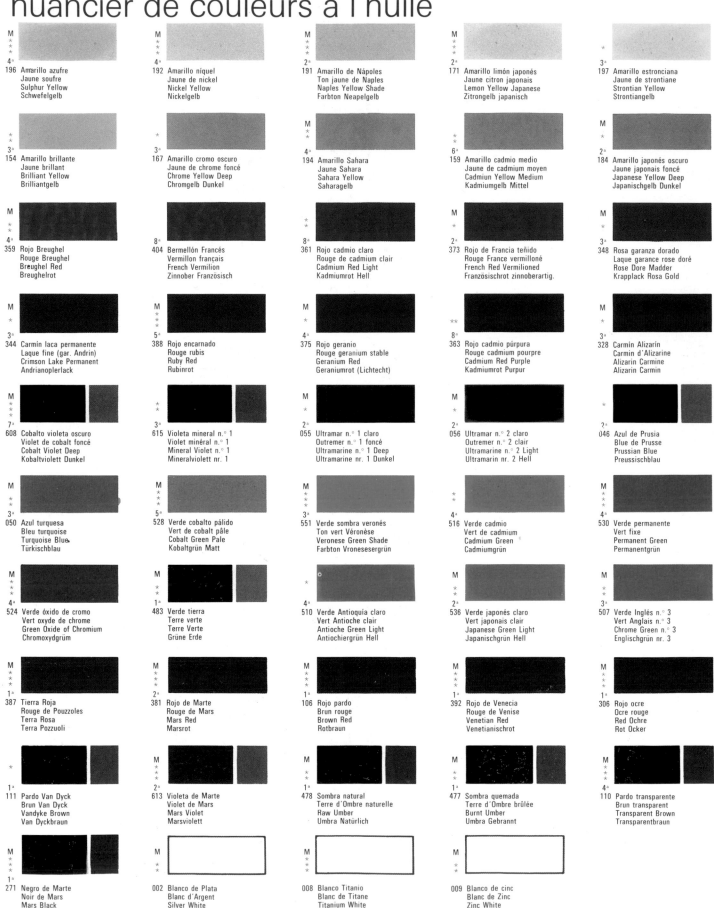

M
* * * *
4ª 196 Amarillo azufre
Jaune soufre
Sulphur Yellow
Schwefelgelb

M
* * * *
4ª 192 Amarillo níquel
Jaune de nickel
Nickel Yellow
Nickelgelb

M
* * *
2ª 191 Amarillo de Nápoles
Ton jaune de Naples
Naples Yellow Shade
Farbton Neapelgelb

M
* *
2ª 171 Amarillo limón japonés
Jaune citron japonais
Lemon Yellow Japanese
Zitrongelb japanisch

3ª 197 Amarillo estronciana
Jaune de strontiane
Strontian Yellow
Strontiangelb

* *
*
3ª 154 Amarillo brillante
Jaune brillant
Brilliant Yellow
Brilliantgelb

*
3ª 167 Amarillo cromo oscuro
Jaune de chrome foncé
Chrome Yellow Deep
Chromgelb Dunkel

4ª 194 Amarillo Sahara
Jaune Sahara
Sahara Yellow
Saharagelb

* *
6ª 159 Amarillo cadmio medio
Jaune de cadmium moyen
Cadmiun Yellow Medium
Kadmiumgelb Mittel

M
*
2ª 184 Amarillo japonés oscuro
Jaune japonais foncé
Japanese Yellow Deep
Japanischgelb Dunkel

M
* *
4ª 359 Rojo Breughel
Rouge Breughel
Breughel Red
Breughelrot

8ª 404 Bermellón Francés
Vermillon français
French Vermilion
Zinnober Französisch

* *
8ª 361 Rojo cadmio claro
Rouge de cadmium clair
Cadmium Red Light
Kadmiumrot Hell

M
*
2ª 373 Rojo de Francia teñido
Rouge France vermilloné
French Red Vermilioned
Französischrot zinnoberartig.

M
* * *
3ª 348 Rosa garanza dorado
Laque garance rose doré
Rose Dore Madder
Krapplack Rosa Gold

M
*
3ª 344 Carmín laca permanente
Laque fine (gar. Andrin)
Crimson Lake Permanent
Andrianoplerlack

M
* * * *
5ª 388 Rojo encarnado
Rouge rubis
Ruby Red
Rubinrot

M
*
4ª 375 Rojo geranio
Rouge geranium stable
Geranium Red
Geraniumrot (Lichtecht)

* *
8ª 363 Rojo cadmio púrpura
Rouge cadmium pourpre
Cadmium Red Purple
Kadmiumrot Purpur

M
* * *
3ª 328 Carmín Alizarín
Carmin d'Alizarine
Alizarin Carmine
Alizarin Carmin

M
* * * *
7ª 608 Cobalto violeta oscuro
Violet de cobalt foncé
Cobalt Violet Deep
Kobaltviolett Dunkel

* *
3ª 615 Violeta mineral n.º 1
Violet minéral n.º 1
Mineral Violet n.º 1
Mineralviolett nr. 1

M
*
2ª 055 Ultramar n.º 1 claro
Outremer n.º 1 foncé
Ultramarine n.º 1 Deep
Ultramarine nr. 1 Dunkel

M
*
2ª 056 Ultramar n.º 2 claro
Outremer n.º 2 clair
Ultramarine n.º 2 Light
Ultramarin nr. 2 Hell

2ª 046 Azul de Prusia
Blue de Prusse
Prussian Blue
Preussischblau

M
* *
3ª 050 Azul turquesa
Bleu turquoise
Turquoise Blue
Türkischblau

M
* * *
5ª 528 Verde cobalto pálido
Vert de cobalt pâle
Cobalt Green Pale
Kobaltgrün Matt

M
* * * *
3ª 551 Verde sombra veronés
Ton vert Véronèse
Veronese Green Shade
Farbton Vronesesergrün

* *
4ª 516 Verde cadmio
Vert de cadmium
Cadmium Green
Cadmiumgrün

M
* * *
4ª 530 Verde permanente
Vert fixe
Permanent Green
Permanentgrün

M
* * * *
4ª 524 Verde óxido de cromo
Vert oxyde de chrome
Green Oxide of Chromium
Chromoxydgrüm

M
* *
1ª 483 Verde tierra
Terre verte
Terre Verte
Grüne Erde

*
4ª 510 Verde Antioquía claro
Vert Antioche clair
Antioche Green Light
Antiochiergrün Hell

M
* *
2ª 536 Verde japonés claro
Vert japonais clair
Japanese Green Light
Japanischgrün Hell

M
* *
3ª 507 Verde Inglés n.º 3
Vert Anglais n.º 3
Chrome Green n.º 3
Englischgrün nr. 3

M
* * * *
1ª 387 Tierra Roja
Rouge de Pouzzoles
Terra Rosa
Terra Pozzuoli

M
* * * *
2ª 381 Rojo de Marte
Rouge de Mars
Mars Red
Marsrot

M
* * * *
1ª 106 Rojo pardo
Brun rouge
Brown Red
Rotbraun

M
* * * *
1ª 392 Rojo de Venecia
Rouge de Venise
Venetian Red
Venetianischrot

M
* * *
1ª 306 Rojo ocre
Ocre rouge
Red Ochre
Rot Ocker

*
1ª 111 Pardo Van Dyck
Brun Van Dyck
Vandyke Brown
Van Dyckbraun

M
* * * *
2ª 613 Violeta de Marte
Violet de Mars
Mars Violet
Marsviolett

M
* * *
1ª 478 Sombra natural
Terre d'Ombre naturelle
Raw Umber
Umbra Natürlich

M
* * *
1ª 477 Sombra quemada
Terre d'Ombre brûlée
Burnt Umber
Umbra Gebrannt

M
* * * *
4ª 110 Pardo transparente
Brun transparent
Transparent Brown
Transparentbraun

M
* * * *
1ª 271 Negro de Marte
Noir de Mars
Mars Black
Marsschwarz

M
* *
002 Blanco de Plata
Blanc d'Argent
Silver White
Kremseiweiss

M
* * * *
008 Blanco Titanio
Blanc de Titane
Titanium White
Titanweiss

M
* *
009 Blanco de cinc
Blanc de Zinc
Zinc White
Zinkweiss

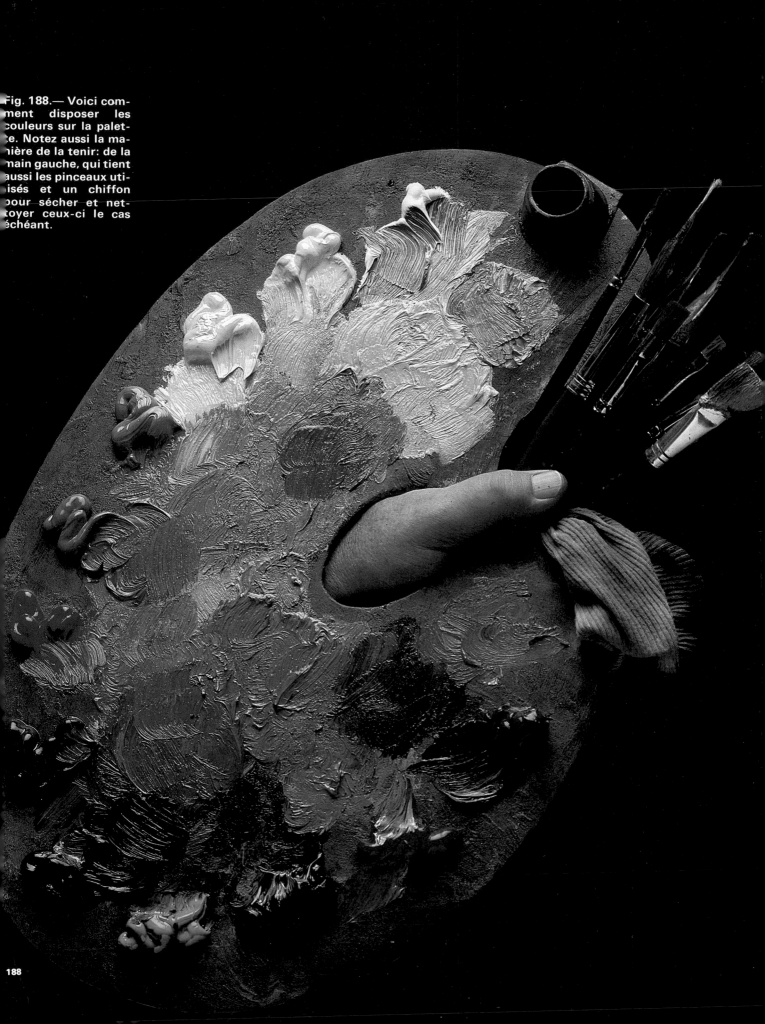

Fig. 188.— Voici comment disposer les couleurs sur la palette. Notez aussi la manière de la tenir: de la main gauche, qui tient aussi les pinceaux utilisés et un chiffon pour sécher et nettoyer ceux-ci le cas échéant.

couleurs à l'huile d'usage courant

(Échantillons fournis par la marque Pelikan)

Jaune citron   Terre d'ombre brûlée   Vert émeraude

Jaune de cadmium moyen   Vermillon clair   Bleu outremer foncé

Ocre jaune   Carmin de garance foncé   Bleu cobalt clair

Terre de Sienne brûlée   Vert permanent   Bleu de Prusse

189

COULEURS À L'HUILE D'USAGE COURANT CHEZ LE PROFESSIONNEL:

* Jaune de cadmium citron   Bleu outremer foncé
   Jaune de cadmium moyen   Bleu de Prusse
   Ocre jaune   Blanc de titane
* Terre de Sienne brûlée   * Noir d'ivoire
   Terre d'ombre brûlée   Carmin de garance foncé
   Vermillon clair   * Vert fixe

      Vert émeraude
      Bleu de cobalt foncé

Le nuancier reproduit plus haut, ne compte pas moins de 139 couleurs différentes. Quel nombre impressionnant, n'est-ce pas! Il est probable qu'aucun peintre ne les emploie toutes! Quinze jaunes différents, sept orangés, vingt rouges et carmin...! Mais pourquoi donc une telle variété de jaunes, de rouges... Disons que tel artiste préférera le jaune de Naples, le jaune citron; tel autre emploiera toujours du jaune de chrome —jaune foncé comme celui de la pellicule Kodak—, et jamais du jaune de cadmium, jaune neutre comme celui de la banane mûre.

Il faut admettre qu'en matière de couleurs, il existe une infinité de critères, d'où l'existence de ces nuanciers immenses «démesurés et confus», comme les qualifie le professeur Max Doerner. C'est une affaire de goût, mais l'unanimité se fait sur le choix du *nombre de couleurs* indispensables. Tous les artistes, anciens ou contemporains, emploient dix, douze couleurs différentes tout au plus, en dehors du blanc et du noir. Nous allons maintenant étudier quelles peuvent être ces dix ou douze couleurs, en présentant un assortiment d'usage courant. Tout d'abord les trois couleurs primaires: jaune, pourpre et bleu correspondant à un *jaune de cadmium moyen, un carmin de garance foncé et un bleu de Prusse;* il faudra y ajouter un ocre, un sienne, un rouge, un vert, un autre bleu... La liste définitive figure dans l'encadré ci-contre. Douze couleurs au total, sans compter le blanc et le noir. Notez que quatre de ces couleurs sont précédées d'un astérisque indiquant qu'elles peuvent être supprimées, si l'on désire encore réduire cette liste. Vous constaterez enfin que le blanc fait partie des couleurs absolument indispensables, tandis que le noir peut être supprimé; on peut l'obtenir, en effet, à partir d'un mélange de bleu de Prusse, de carmin de garance foncé et de vert émeraude; ou de bleu de Prusse, de carmin de garance foncé et de terre d'ombre brûlée...

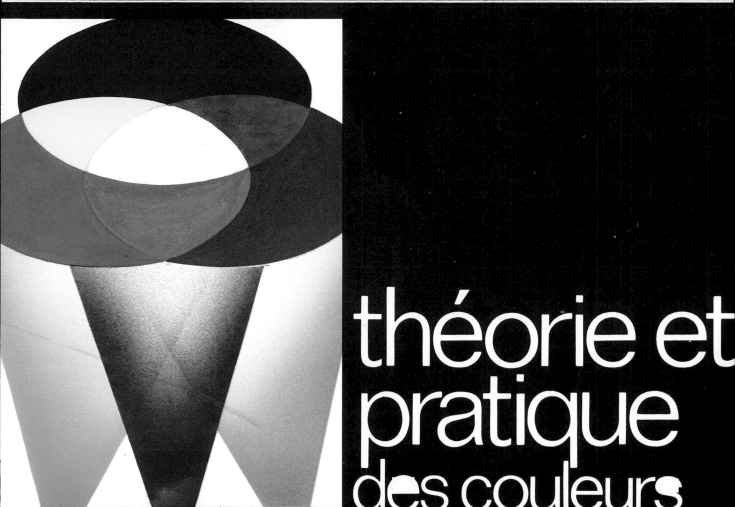

théorie et
pratique
des couleurs

couleurs de la lumière

La lumière est couleur. Cela a été dit et répété maintes fois. N'importe quel manuel de physique élémentaire nous apprend, en effet, que la lumière est couleur et il le démontre à travers le phénomène de l'arc en ciel...: «l'arc-en-ciel est le produit d'une infinité de gouttes de pluie qui, sous l'effet des rayons solaires, réagissent comme des millions de petits prismes cristallins et décomposent la lumière en six couleurs.» Ce manuel de physique explique également qu'il y a deux cents ans, le physicien Newton reproduisit chez lui le phénomène de l'arc-en-ciel: «...il s'enferma dans une pièce obscure, y laissant filtrer un rai de lumière, comparable à un rayon solaire, et l'intercepta à l'aide d'un prisme en verre, de forme triangulaire. Il parvint alors à *décomposer* la lumière blanche et à obtenir les six couleurs du spectre». Cet ouvrage nous révèle en outre que, des années plus tard, un autre physicien célèbre, Young, réalisa l'expérience inverse: «...se livrant à des recherches à l'aide de lanternes de couleur, il détermina, par élimination, que les six couleurs du spectre pouvaient se réduire à trois couleurs fondamentales: le vert, le rouge et le bleu vif. Il prit alors trois lanternes, et projetant trois faisceaux de lumière à travers trois filtres aux dites couleurs, il parvint à *recomposer* la lumière pour obtenir la lumière blanche».

Oui, c'est exact, mais ces expériences, malgré leur caractère «rebattu» demeurent, pour le commun des mortels, du domaine de la théorie. Vous-même, moi-même, avons-nous conscience de vivre dans une lumière colorée qui «se déplace en ligne droite», à une vitesse de 300 000 km à la seconde? et savons-nous également qu'un corps, touché par elle, absorbe certaines couleurs —celles que lui «transmet» la lumière—, pour en renvoyer d'autres?

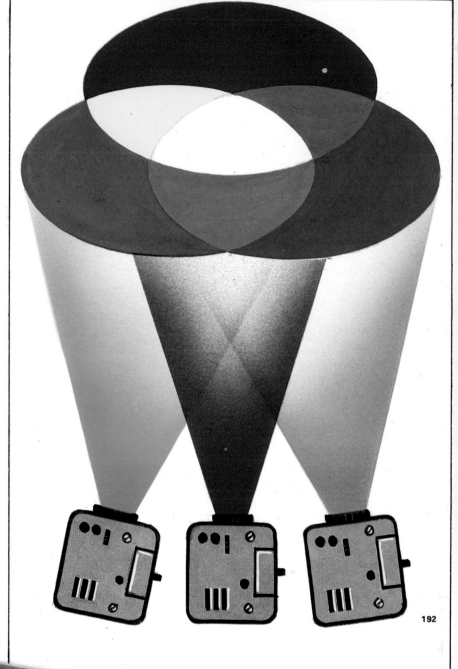

191

192

Fig. 191.— *Décomposition* de la lumière. Lorsqu'un rayon de lumière solaire traverse un prisme, morceau de verre triangulaire, la lumière se *décompose* dans les six couleurs du spectre, ce qui donne lieu à un phénomène analogue à celui de l'arc-en-ciel.

Fig. 192.— *Recomposition* de la lumière blanche, obtenue par la projection de trois faisceaux lumineux à travers trois filtres des *couleurs primaires-Lumière*, vert, rouge et bleu intense. En les projetant par deux, on obtient les trois *couleurs secondaires-Lumière*, jaune, bleu cyan et pourpre.

A la suite de ces réflexions, je décidai un jour de passer de la théorie à la pratique.

D'abord, comme le fit Newton, je *décomposai* la lumière; j'achetai un prisme, je rentrai chez moi m'enfermer dans l'obscurité, projetai un mince filet de lumière et... quelle merveille! —Faites-le vous-même et vous verrez—, les couleurs se projetèrent sur le mur avec une luminosité et une netteté que je n'avais jamais vues! Je poursuivis mes expériences pratiques et réunis trois projecteurs de diapositives, afin d'obtenir trois faisceaux de lumière: un vert, un rouge et un bleu.

Puis je réalisai l'expérience de Young, celle de *recomposer* la lumière.

Il me faudrait des pages et des pages pour décrire les sensations que j'éprouvai ce jour-là: Voir de mes propres yeux qu'en projetant un faisceau de *lumière verte* et, par-dessus, un autre de *lumière rouge*, la couleur JAUNE apparaissait sur l'écran! Vous imaginez? Pour moi, qui suis peintre, qui toute ma vie ai peint du marron en mélangeant du rouge et du vert...

Mais, dès lors, je commençai à comprendre ce qu'est la lumière, de quelles couleurs elle se compose, pourquoi nous voyons une tomate rouge et une plante verte, porquoi le rouge et le vert, mis côte à côte, sont d'une telle intensité que —d'après Van Gogh—: «l'oeil humain peut à peine soutenir la vision de ce contraste». En d'autres termes: dès cet instant, je compris la véritable portée de ce concept «archi-connu»: *la lumière est couleur.*

Fig. 193.— Tout corps éclairé renvoie tout ou partie de la lumière qu'il reçoit. Un cube blanc, comme la page de ce livre, reçoit, comme tous les corps, les trois couleurs lumière, rouge, vert et bleu intense. Mais il les renvoie telles qu'il les reçoit, la somme des trois donnant la couleur blanche de cette page. Un corps noir reçoit les trois couleurs et les absorbe en totalité, laissant le corps sans lumière, dans l'obscurité, aussi le voit-on noir. Une tomate rouge absorbe le vert et le bleu et renvoie le rouge. Une banane jaune absorbe le bleu et renvoie le rouge et le vert dont la somme, comme on l'a vu, laisse voir le jaune, etc.

Newton décomposa les couleurs de la lumière et détermina les six couleurs du spectre. Young recomposa la lumière et classa les six couleurs du spectre en primaires et secondaires.

Couleurs-LUMIÈRE primaires:
rouge, vert, bleu foncé

Couleurs-LUMIÈRE secondaires (par combinaison deux à deux des primaires):

Lumière bleue + lumière verte = Bleu cyan

Lumière rouge + lumière bleue = Pourpre

Lumière verte + lumière rouge = Jaune

On déduit de cette classification qu'une couleur complémentaire est une couleur secondaire à laquelle manque seulement une couleur primaire pour compléter et recomposer la lumière (ou inversement).

Couleurs-LUMIÈRE complémentaires:

Bleu foncé, complémentaire du Jaune
Rouge, complémentaire du Bleu cyan
Vert, complémentaire du Pourpre.

Et je rédigeai mon propre manuel.

En conclusion, si l'on admet —et comprend— que chaque objet perçu par vous et moi en ce moment, reçoit à cet instant même les trois couleurs primaires de la lumière, on peut établir la loi physique d'absorption et de réflexion des couleurs-LUMIÈRE:

Les corps opaques ont la propriété de réfléchir tout ou partie de la lumière qu'ils reçoivent.

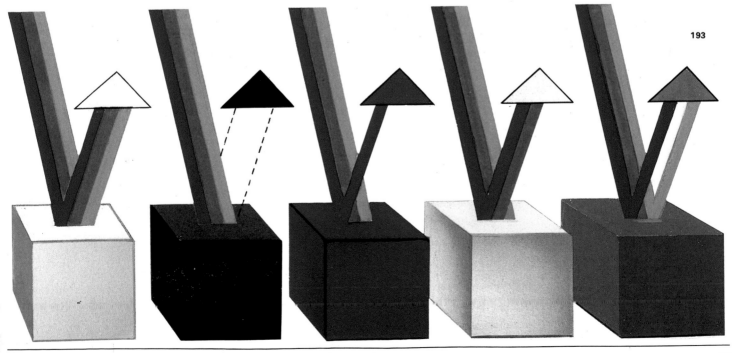

193

couleurs-pigment

Couleurs-PIGMENT: ce sont nos couleurs composées de matières colorantes, d'huiles et de vernis.

Grâce à elles, l'artiste essaie d'imiter les phénomènes de lumière et de couleur évoqués plus haut. A propos de cette étude, rappelons-nous que la lumière, pour «peindre» les corps, utilise *trois couleurs-Lumière intenses,* c'est-à-dire *foncées,* qui, mélangées deux par deux, donnent à leur tour, *trois couleurs plus claires* et qu'enfin, elles recomposent la lumière elle-même, *la couleur blanche,* lorsqu'elles se mélangent toutes entre elles.

Mais nous ne pouvons pas «peindre» avec de la lumière, ou plutôt: *nous ne pouvons pas obtenir de couleurs plus claires grâce au mélange de couleurs foncées*. Si nous prenons donc aussi comme base les six couleurs du spectre, nous changeons la valeur ou la primauté de certaines couleurs par rapport à d'autres et nous disons que:

Nos couleurs primaires sont les secondaires-Lumière et inversement, nos secondaires sont les primaires-Lumière.

Compliqué? Non, non; laissez-moi vous expliquer: nos mélanges de couleurs supposent toujours une *soustraction de lumière,* c'est-à-dire, le passage de couleurs claires à

194

Fig. 194.— Les *couleurs pigment* primaires —bleu cyan, pourpre et jaune—, mélangées deux par deux, donnent les couleurs secondaires rouge, vert et bleu intense ou violet. Le mélange des trois donne du noir.

des couleurs foncées: si nous mélangeons le rouge et le vert, nous obtenons une couleur plus foncée, le marron; si nous mélangeons nos primaires-pigment entre elles, nous obtenons le noir.

Pour résumer: voyez les illustrations en bas de page: *la lumière «peint» en additionnant les couleurs.* Pour obtenir la secondaire-Lumière jaune, la lumière ajoute la couleur rouge à la couleur verte; et les rayons, grâce à leur combinaison, donnent une couleur plus claire. Les physiciens nomment ce phénomène: *la synthèse additive.*

Les pigments peignent en soustrayant les couleurs. Pour obtenir le secondaire-pigment vert, nous mélangeons le bleu cyan et le jaune. Par rapport aux couleurs-Lumière, le bleu absorbe le rouge, et le jaune absorbe le

---

Couleurs-PIGMENT primaires

Bleu cyan, Pourpre, Jaune

Couleurs-PIGMENT secondaires (par combinaison deux par deux des primaires antérieures)

Pigment pourpre + pigment jaune = Rouge
Pigment jaune + pigment bleu = Vert
Pigment bleu + pigment pourpre = Bleu foncé

Fig. 195.— *Synthèse additive.* Pour «peindre» le jaune secondaire, la lumière additionne le rouge et le vert et soustrait (absorbe) le bleu.

Fig. 196.— *Synthèse soustractive.* Pour peindre le pigment vert secondaire, nous mélangeons du jaune et du bleu. Le jaune absorbe (soustrait) le bleu intense et le bleu cyan absorbe (soustrait) le rouge; la seule couleur qu'ils renvoient est le vert.

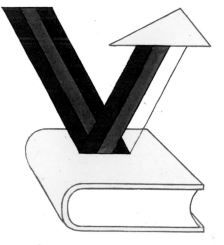

195 Comment «peint» la lumière

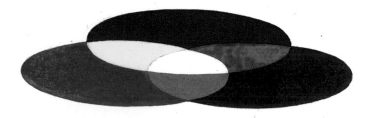

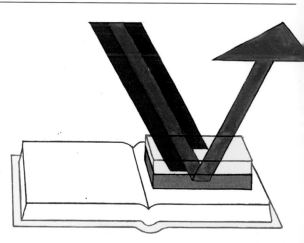

196 Comment «peignent» les pigments

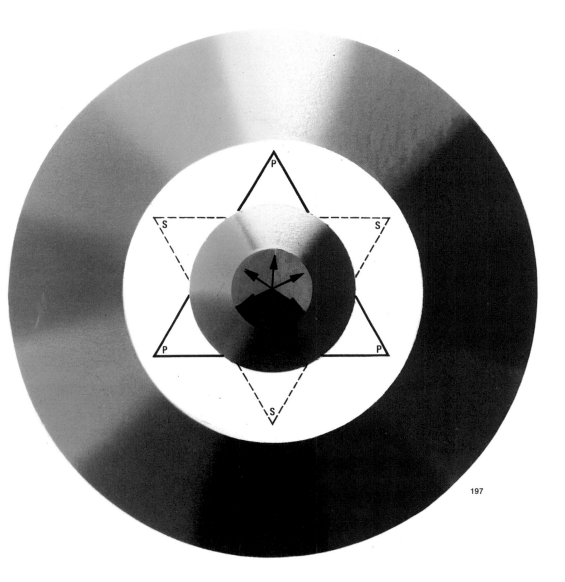

Fig. 197.— Cercle chromatique ou table des couleurs «pigment». On y voit les couleurs *primaires* (désignées par un P au sommet des triangles en trait continu) qui, mêlées par deux, donnent les *secondaires* (désignées par un S au sommet des triangles en pointillé) lesquelles, mêlées à leur tour par deux aux couleurs primaires, donnent six autres couleurs, dites *tertiaires*. Voici la liste et le classement de ces couleurs:

COULEURS PIGMENT

Primaires:
Jaune
Bleu cyan[1]
Pourpre

Secondaires:
Vert
Rouge
Bleu intense

Tertiaires:
Orange
Carmin
Violet
Bleu outremer
Vert émeraude
Vert clair

197

bleu; et toutes deux donnent le vert. Ce phénomène s'appelle la *synthèse soustractive*. Observez maintenant sur cette page le cercle chromatique ou table de couleurs-Pigment —nos couleurs— à partir des trois *primaires* (indiquées par un P aux angles du triangle tracés en gras) dont la combinaison donne les trois *secondaires* (S); ces dernières, à leur tour, mêlées aux primaires, donnant six autres couleurs nommées *tertiaires*.

L'exposé précédent conduit à une série de conclusions pratiques qui justifient la connaissance des théories de la couleur:

1°) - La Lumière et l'Artiste «peignent» avec les mêmes couleurs: les couleurs du spectre solaire.

2°) - La coïncidence parfaite entre couleurs Lumière et couleurs Pigment permet à l'artiste d'imiter les effets de la lumière éclairant les

(1) La définition *bleu cyan* n'existe pas dans les nuanciers des couleurs à l'huile; elle appartient aux arts graphiques et à la photographie en couleurs et a été adoptée dans les traités contemporains de la théorie de la couleur. Elle désigne un bleu clair neutre, très proche du bleu de Prusse à l'huile mélangé à un peu de blanc.

corps, et, par conséquent, de reproduire fidèlement toutes les couleurs de la Nature.

3°) - Conformément aux théories de la lumière et de la couleur, l'artiste peut peindre toutes les couleurs de la Nature, avec les trois couleurs primaires.

4°) - La connaissance et l'usage des couleurs complémentaires permettent des effets d'une très grande valeur picturale.

Nous reviendrons sur ce dernier point page suivante.

couleurs complémentaires

Le cercle chromatique de la page précédente nous indique que les couleurs sont complémentaires entre elles, en les situant deux par deux, face à face. Et nous voyons ainsi que:

Le **Jaune** est complémentaire du **Bleu**
Le **Bleu cyan** est complémentaire du **Rouge**
Le **Pourpre** est complémentaire du **Vert**
(et inversement).

En suivant cette même règle des couleurs placées face à face, nous pouvons déduire les complémentaires des couleurs tertiaires:

L'Orangé, complémentaire du **Bleu outremer**
Le Vert-clair, complémentaire du **Violet**
Le Carmin, complémentaire du **Vert émeraude**
(et inversement).

Mais, à quoi servent vraiment les complémentaires pour peindre? En premier lieu à *créer des contrastes de couleur.* Si vous peignez un jaune et, juste à côté, un bleu soutenu, vous obtiendrez l'un des plus forts contrastes de couleur qui existe en peinture. Les artistes du *post-impressionnisme,* comme Van Gogh et Gauguin, mais surtout leurs successeurs —Derain, Matisse, Vlaminck— transformèrent cette loi en un véritable style: *le fauvisme.* Le tableau d'André Derain: *Le pont de Westminster,* reproduit page suivante, est un parfait exemple des possibilités offertes par les couleurs complémentaires, si l'on connaît leur théorie et leur application pratique.

En outre, la connaissance des couleurs complémentaires est indispensable pour rendre la couleur des ombres; nous le verrons plus loin; en effet, dans l'ombre elle-même ou l'ombre portée de tout objet intervient toujours la couleur complémentaire de celle même de l'objet; ainsi par exemple, dans l'ombre d'un melon vert —vert foncé comme le vert tertiaire émeraude—, intervient à coup sûr la couleur carmin, sa complémentaire.

La maîtrise des couleurs complémentaires offre, enfin, la faculté de peindre dans une gamme de couleurs particulières, différentes, dites *couleurs rabattues,* thème dont nous traiterons plus loin.

Fig. 198.— Couleurs complémentaires.

La couleur secondaire bleu intense, obtenue par mélange des couleurs primaires bleu et pourpre, est la complémentaire du jaune primaire, et inversement.

La couleur secondaire rouge, obtenue par mélange des couleurs primaires jaune et pourpre, est la complémentaire du bleu primaire, et inversement.

La couleur secondaire verte, obtenue par mélange des couleurs primaires bleu et jaune, est la complémentaire du pourpre primaire et inversement.

198

Fig. 199.— Cercle chromatique —ne contenant que les couleurs primaires et secondaires—, dont les flèches désignent les couleurs complémentaires entre elles.

Fig. 200.— La juxtaposition de deux couleurs complémentaires produit un contraste maximum utilisé par de nombreux artistes.

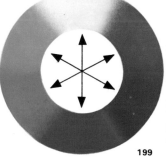

Fig. 201.— Exemple de l'utilisation des contrastes maximums par juxtaposition de couleurs complémentaires (page suivante): André Derain, *«Le pont de Westminster»* (coll. particulière, Paris). © by A.D.A.G.P., 1983.

199

200

la couleur des corps

Fig. 202.— Cette pomme montre les facteurs qui déterminent la couleur du corps: couleur locale, couleur tonale et couleur ambiante ou reflétée.

202

Nous parlons couramment d'une fleur bleue, d'une maison rouge, d'un pré jaune et à juste titre; mais lorsque nous peignons, toute la fleur n'est pas bleue, ni toute la maison rouge, ni toute la surface du pré jaune. Il existe une grande variété de nuances, d'ombres, de reflets; certains facteurs, enfin, conditionnent la couleur des corps:

a) la couleur locale: leur couleur proprement dite
b) la couleur tonale: due au jeu d'ombres et de lumière
c) la couleur ambiante: reflet d'autres corps.

Ces trois facteurs subissent à leur tour l'influence de

d) la couleur de la lumière elle-même
e) l'intensité de la lumière
f) l'effet d'atmosphère.

La couleur locale est la couleur pure des corps, dans les zones où elle n'est pas modifiée par des effets d'ombre et de lumière ou par la réflexion d'autres couleurs. Sur la figure ci-dessus, nous voyons une pomme jaune, éclairée par une lumière latérale et située près d'une surface de teinte verte. Cette dernière ne subit aucune variation; elle n'a pas de volume, elle est plane, sa couleur locale

est verte, tout simplement. La pomme en revanche, est jaune, certes, mais s'éclaircit du côté éclairé, s'obscurcit dans l'ombre, réfléchit le vert de la surface toute proche, etc... Et cependant, il existe une couleur jaune insensible à la lumière, à l'ombre et aux reflets: le jaune propre à la pomme ou couleur locale.

La couleur tonale est une variante plus ou moins marquée de la couleur locale, modifiée d'ordinaire par la réflexion d'autres couleurs. Il s'agit donc d'une couleur complexe, offrant une grande variété de nuances. C'est la couleur la plus claire des parties éclairées; la plus foncée des zones situées dans l'ombre —cette dernière présentant à son tour une infinité de nuances— couleur compliquée, en outre, par toutes celles que réfléchissent les autres corps. Dans cette pomme, nous pouvons apprécier la variété des nuances de la couleur tonale.

La couleur réfléchie joue constamment, si l'on tient compte, d'une part, de la couleur ambiante et d'autre part, du reflet de tel ou tel corps. Nombre d'artistes ont utilisé cet effet comme élément auxiliaire et parfois fondamental de l'éclairage; mais il n'est pas souhaitable d'abuser des jeux d'ombre et de lumières réfléchies, parfois au détriment du volume et de la vérité du sujet; un tel procédé risque de donner une œuvre artificielle.

Fig. 203.— Voici un exemple graphique de l'effet d'*atmosphère interposée* qui, avec la couleur propre de la lumière et l'intensité de celle-ci, conditionne la couleur des corps. Ici, la pomme du premier plan offre un plus grand contraste et une meilleure définition par comparaison avec la pomme de l'arrière-plan dont le contraste est moins accusé, la définition moins nette, le coloris plus bleuté, moins brillant.

203

La couleur même de la lumière joue, bien sûr, sur les couleurs du modèle: à l'aube, le paysage est blanc, gris, bleuté; au crépuscule, le même lieu présente des teintes jaunes, ocre, rouges. Il s'agit donc d'interpréter cette influence de la couleur et d'en tirer parti pour marier et harmoniser les couleurs entre elles (autre thème dont il sera question plus loin).

L'intensité de la lumière. La lumière naturelle est blanche; en pleine lumière, les corps semblent saturés de couleur, ils reflètent parfaitement leur couleur locale, leur propre couleur. A la tombée de la nuit, l'intensité des couleurs diminue bien sûr, mais ne croyez pas que cette obscurité progressive entraîne le *noircissement* des couleurs; non. S'il est vrai que l'absence totale de lumière aboutit au noir, il est non moins vrai *que la diminution progressive de la lumière du jour aboutit à une lumière ambiante bleutée qui teinte de bleu toutes les couleurs.* Lorsque le soleil se couche et que le paysage reçoit les dernières lueurs du jour, *tout est bleu.*

L'effet d'atmosphère est celui qui offre à l'artiste la faculté de représenter la troisième dimension. L'atmosphère est partout: elle est air, elle est espace; on peut résumer ainsi ses effets:

a) contraste marqué du premier plan par rapport aux lointains;
b) décoloration et tendance au gris à mesure que les plans s'éloignent;
c) grande netteté du premier plan, par rapport aux lointains.

Fig. 204.— L'effet d'atmosphère est facilement visible en plein air, dans les paysages qui offrent des plans éloignés (arrière-plans) comme dans cette photographie où le premier plan apparaît très précis et contrasté, tandis que la couleur et les contrastes des montagnes du fond s'estompent.

204

Sur la figure ci-dessus, j'ai peint deux pommes; l'une au premier plan, l'autre au lointain. La plus proche présente un contraste, une netteté et une intensité de couleur très marqués; pour la plus éloignée, j'ai imaginé les effets de l'atmosphère interposée, j'ai adouci les contrastes et la netteté du contour. J'ai fait jouer le bleu et éliminé les stridences, en grisant, en m'efforçant de «peindre» l'espace situé entre les deux pommes. Ces effets d'atmosphère interposée sont particulièrement sensibles en plein air, à la montagne, par exemple, où le premier plan présente un contraste accusé de ton et de couleur, les montagnes du lointain offrant, au contraire, un coloris gris ou bleuté.

comment peindre avec deux couleurs et du blanc

Théorie et pratique. Il s'agit de faire alterner l'enseignement des facteurs ou normes théoriques, avec des exercices pratiques de peinture à l'huile, de plus en plus compliqués, d'abord avec deux couleurs, puis trois —les trois primaires— et enfin avec toutes les couleurs. Mieux vaut, selon moi, partir de zéro et supposer que vous avez très peu pratiqué la peinture à l'huile; vous ne savez rien de tout ce qui a trait à la fluidité, la densité de la pâte, le pouvoir couvrant ou la siccativité des couleurs; vous ignorez les possibilités qui en découlent, grâce auxquelles l'artiste peut couvrir sa toile, dessiner et profiler les contours, tout en peignant. Et, à mon avis, il convient de souligner cet aspect technique, sans y ajouter le problème de l'apprentissage du regard et de la composition des couleurs. Commençons donc, avec deux couleurs et du blanc:

Terre de Sienne brûlée
Bleu de Prusse
Blanc de titane.

Le matériel comportera, d'autre part:
— *1 carton entoilé ou simple carton.*
— *4 pinceaux en soies de porc, plats, n° 10.*
— *2 pinceaux en soies de porc, un plat et un «langue de chat» n° 8.*
— *1 pinceau en soies de porc, plat n° 6.*
— *1 pinceau en poil de martre, rond n° 6.*
— *médium, spatule, coupures de journaux et chiffons.*

Commencez, je vous prie, par peindre les échantillons de couleurs figurant sur l'illustration ci-contre. Il importe, en ce cas, d'utiliser des pinceaux propres. Voici les mélanges que j'ai faits moi-même pour obtenir ces quelques couleurs:
Couleur n° 1 - Blanc teinté très légèrement de bleu de Prusse.
Couleur n° 2 - Blanc teinté très légèrement de terre se Sienne brûlée.
Couleur n° 3 - Mélange des 2 couleurs précédentes.
Couleur n° 4 - La couleur précédente avec un peu plus de bleu que de Sienne.
Couleur n° 5 - La couleur n° 3 avec un peu plus de Sienne que de bleu.
Couleur n° 6 - Les deux couleurs précédentes mélangées en quantités égales.
Couleur n° 7 - Bleu de Prusse pur.
Couleur n° 8 - Terre de Sienne brûlée pure.
Couleur n° 9 - Le mélange des deux précédentes avec un peu plus de Sienne donne ce noir absolu.

205 206 207

208

Fig. 205, 206 et 207.— Voici les couleurs nécessaires à la réalisation de ces premiers exercices, exécutés avec deux couleurs et du blanc: de gauche à droite: blanc de titane, terre de Sienne brûlée et bleu de Prusse.

Fig. 208.— Vous composerez les couleurs de ce petit échantillonnage en utilisant les trois couleurs ci-dessus, afin de constater les possibilités chromatiques offertes par la terre de Sienne brûlée mélangée au bleu de Prusse, et ces deux dernières mêlées à leur tour au blanc de titane.

Et commençons maintenant par le cylindre et le verre de la page suivante. Bien entendu, vous devrez peindre d'après nature. Le verre et la soucoupe sont des objects courants; quant au cylindre, il suffira d'enrouler une feuille de papier blanc de 6 cm de diamètre environ, sur 11 cm de haut. Placez ces modèles sur une table, devant un fond de papier blanc.
Cylindre et verre seront exécutés «alla prima», ce qui, dès la première touche du pinceau, oblige à rechercher les valeurs de tons et à dégrader, au besoin avec les doigts, les parties ombrées.

premier exercice pratique

Quand vous peindrez le verre à demi rempli d'eau, tâchez de distinguer les nuances, les variétés de tonalités offertes par le gris. Etudiez la direction de la touche —sur le cylindre comme sur le verre—, tachez de cerner et de préciser la forme. Songez aussi qu'il est parfaitement légitime, lorsqu'on peint du verre, de souligner les contrastes, pour mieux mettre en valeur les transparences.

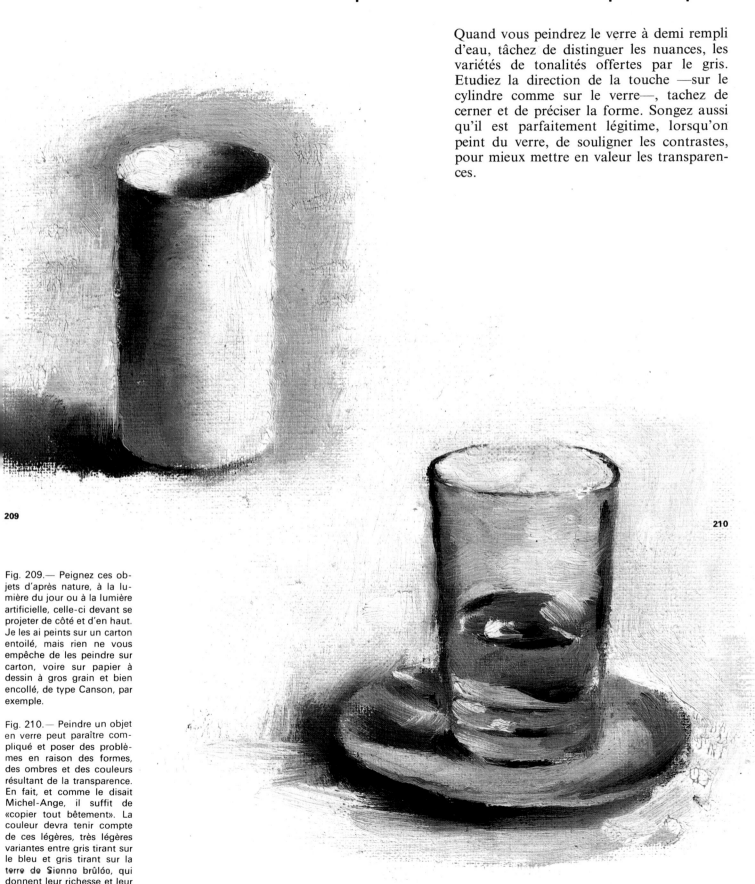

209

210

Fig. 209.— Peignez ces objets d'après nature, à la lumière du jour ou à la lumière artificielle, celle-ci devant se projeter de côté et d'en haut. Je les ai peints sur un carton entoilé, mais rien ne vous empêche de les peindre sur carton, voire sur papier à dessin à gros grain et bien encollé, de type Canson, par exemple.

Fig. 210.— Peindre un objet en verre peut paraître compliqué et poser des problèmes en raison des formes, des ombres et des couleurs résultant de la transparence. En fait, et comme le disait Michel-Ange, il suffit de «copier tout bêtement». La couleur devra tenir compte de ces légères, très légères variantes entre gris tirant sur le bleu et gris tirant sur la terre de Sienne brûlée, qui donnent leur richesse et leur valeur à ces objets simples.

construction

211

212

Fig. 212.— Tenez le manche du crayon dans le creux de la main, dessinez en croquant, la mine bien verticale pour obtenir des traits plus larges.

Fig. 211.— Une tasse à café, un verre à pied, une chope de bière, une salière... Tous ces objets peuvent servir de modèle pour dessiner et «se faire la main», pour étudier ombres, transparences et volumes. Travaillez avec un crayon à grosse mine taillée long, en biseau, qui vous permettra de dessiner des grisés et des dégradés comme ceux-ci: larges, pleins, désinvoltes et spontanés.

Nous allons maintenant peindre une simple nature morte, toujours avec deux couleurs et du blanc. Mais auparavant, et à titre d'exercice préliminaire, je vous demande de dessiner à la mine de plomb ces quelques objets de la vie courante: une tasse à café, un verre à pied, un verre, une chope de bière, une salière... Choisissez ces modèles-ci ou d'autres analogues, dessinez d'après nature, de manière à remplir cinq à six pages de papier à dessin. Utilisez un crayon à mine tendre comme le 3B ou le 4B et du papier à dessin au grain moyen; dessinez en tenant le bois du crayon bien dans la main, la mine taillée en biseau, pour obtenir des traits plus larges (fig. 211 et 212).

problèmes de construction: perspective

Les lois de la perspective ne pardonnent pas. Elles déterminent les qualités de la construction du modèle, en particulier, s'il comporte des formes géométriques. Le problème consiste tout simplement, ici, à tracer une série de cercles en perspective et à les regarder de plus ou moins haut, selon la loi de la perspective dite «parallèle» ou «par rapport à un point», la moins complexe des types de perspectives, comme vous pourrez le constater vous-même dans le bref exposé ci-contre. D'autre part, nous vous indiquons ci-dessous les normes à respecter pour construire cercles et cylindres, selon une perspective correcte. Et rappelez-vous que nous sommes dans le domaine de la pratique; je vous recommande donc de suivre cette leçon le crayon à la main, prêt à dessiner.

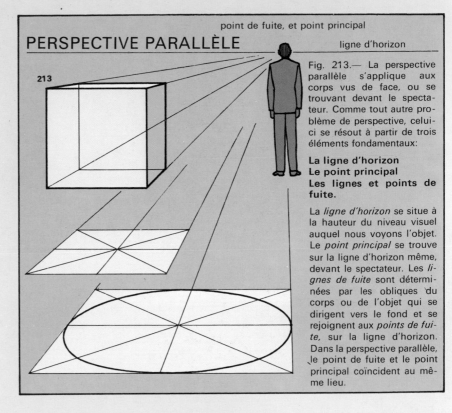

PERSPECTIVE PARALLÈLE

point de fuite, et point principal

ligne d'horizon

213

Fig. 213.— La perspective parallèle s'applique aux corps vus de face, ou se trouvant devant le spectateur. Comme tout autre problème de perspective, celui-ci se résout à partir de trois éléments fondamentaux:

**La ligne d'horizon
Le point principal
Les lignes et points de fuite.**

La *ligne d'horizon* se situe à la hauteur du niveau visuel auquel nous voyons l'objet. Le *point principal* se trouve sur la ligne d'horizon même, devant le spectateur. Les *lignes de fuite* sont déterminées par les obliques du corps ou de l'objet qui se dirigent vers le fond et se rejoignent aux *points de fuite*, sur la ligne d'horizon. Dans la perspective parallèle, le point de fuite et le point principal coïncident au même lieu.

214

Fig. 214.— Pour peindre un verre ou une tasse à café, il est inutile de dessiner un schéma de perspective aussi complexe que celui de cette figure. Il faut cependant savoir que ce schéma existe et se rappeler, par exemple, qu'un cercle situé à la hauteur ou au niveau de la ligne d'horizon se présente comme horizontal, alors que, au fur et à mesure qu'il descend au-dessous de cette ligne, il apparaît comme un ovale de plus en plus ouvert.

Fig. 215.— Lorsque vous dessinerez un cercle ou la base d'un cylindre, souvenez-vous que les sommets ne doivent pas être des angles, mais des courbes plus ou moins fermées, selon que vous les voyez d'en haut ou d'en bas, mais toujours des courbes.

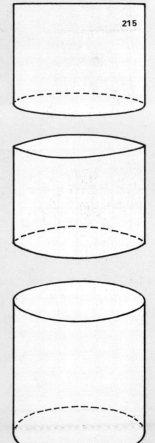

215

étude préalable au crayon

Fig. 216.— Un modèle facile à trouver et à composer: une bouteille de cognac, une tasse à café avec sa soucoupe et sa petite cuillère, un verre de cognac. Le tout placé sur une table adossée au mur, le fond étant neutralisé au moyen d'une feuille de carton blanc (voir schéma 216 A). Il convient, selon moi, de réaliser une étude préalable à la mine de plomb afin de mieux se familiariser avec le modèle, d'étudier les formes, les dimensions, les proportions, les coloris, les jeux d'ombre et de lumière.

216

premier état

Fig. 217.— J'ai réalisé cette peinture sur un carton entoilé n° 3, figure; le modèle y est représenté à un format un peu plus grand que celui de la reproduction ci-contre. Bien entendu, nous peignons toujours cette nature morte avec deux couleurs et du blanc. On voit ici le schéma initial dessiné au fusain et qui, une fois achevé, fut fixé au fixateur en spray.

217

deuxième état

Fig. 218.— Comme on peut le constater, la peinture est à présent traitée «alla prima», selon les techniques de la peinture directe, en traitant une zone après l'autre, mais avec, d'emblée, la possibilité de rectifier formes et couleurs au fur et à mesure de l'évolution du tableau.

218

dernier état

Fig. 219.— Et voici le résultat de cet exercice simple, mais fort instructif, exécuté à l'huile avec de la terre de Sienne brûlée, du bleu de Prusse et du blanc de titane. A partir de cette intéressante expérience, je crois que l'on peut passer au stade de la peinture à l'huile et songer à employer davantage de couleurs afin de capter toutes celles de la Nature.

emploi et abus du blanc

J'ai souvent évoqué dans mes ouvrages et en particulier dans *La couleur et le peintre*, ce tableau désespérément gris, privé de contrastes, aux couleurs délavées, plates et monotones, et j'ai dit et je répète, dans ce même ouvrage, que l'une des raisons principales pour lesquelles l'amateur tombe fatalement dans «le piège des gris», est l'usage abusif du blanc et du noir dans les mélanges; croire que pour éclairer une couleur, il suffit de lui ajouter du blanc, et du noir pour l'assombrir, est une erreur profonde... C'est ignorer en effet que le noir et le blanc donnent tout simplement du gris.

Et ce n'est pas le fait du seul amateur inexpérimenté. Il m'est arrivé de constater les effets «du piège des gris» dans plus d'une exposition. Paresse mentale de l'artiste? C'est possible, mais de toutes manières, permettez-moi de vous rappeler les points suivants.

Dans l'aquarelle, le blanc n'existe pas; l'aquarelle est transparente; pour peindre un bleu ciel, il suffit d'ajouter un peu d'eau au bleu, pour faire ressortir le blanc du papier et donc éclaircir le bleu. En peinture à l'huile, le blanc est une «couleur»; l'huile est opaque. Pour peindre un ciel bleu, il faut mélanger du bleu et du blanc. La *peinture blanche* est une composante essentielle —50% par rapport au noir— du gris.

Ajouter du blanc à une couleur suppose en principe et en théorie —et malheureusement dans la pratique— que cette couleur vire au gris.

Avez-vous fait l'expérience du café au lait? Prenez deux verres identiques contenant chacun la même quantité de café. Si vous ajoutez de l'eau dans l'un et du lait dans l'autre, vous constaterez que l'eau éclaircit la couleur du café et la fait virer au rouge, à l'orangé, au doré... —réaction comparable à l'addition d'eau dans une aquarelle—; dans l'autre verre, au contraire, le lait transforme la couleur du café en Sienne foncé, en ocre sale, en crème grisâtre... phénomène identique à celui de la combinaison d'un blanc *couleur* opaque, et d'une autre couleur, opaque elle aussi.

Cette expérience nous permet de comprendre et de nous rappeler une loi extrêmement importante:

Pour éclaircir une couleur, il ne suffit pas de lui ajouter du blanc.

Fig. 220.— Deux verres contenant la même quantité de café, l'une étendue d'eau, l'autre de lait: mêmes résultats que dans l'aquarelle ou la peinture à l'huile. L'aquarelle étendue d'eau conserve sa nuance d'origine. La couleur à l'huile, opaque, étendue de blanc, altère la nuance d'origine en lui donnant un ton grisâtre.

Là aussi, nous devons imiter la Nature. Observez, à ce sujet, la manière dont se comporte le rouge dans le spectre solaire (fig. 224 C): lorsqu'il s'obscurcit, il vire au bleu violet; lorsqu'il s'éclaircit, il vire d'abord à l'orangé, puis au jaune; ainsi, pour éclaircir un rouge, il faut d'abord le combiner avec du jaune, puis avec du jaune et du blanc. Faites l'expérience: peignez un objet vraiment rouge — une tomate ou un poivron —et essayez

221

d'éclaircir «en escamotant le blanc», suivant mon vieux maître des Beaux-Arts. Pour le noir, le problème est identique, mais plus grave encore. Les impressionnistes, considérant le noir comme l'ennemi de la couleur, décidèrent de l'exclure de leur palette. Mais permettez-moi d'évoquer le noir, page suivante.

Fig. 221.— On ne doit pas éclaircir les parties éclairées d'un poivron ou d'une tomate rouge simplement avec du blanc, des roses ou des mélanges de blanc et de rouge. Les lumières des corps de couleur rouge se rendent, selon le schéma du spectre, par des orangés et des jaunes, que l'on peut, en certaines zones, mêler à du blanc. Mais efforcez-vous, autant que possible, d'«escamoter le blanc». Ne l'oubliez pas, il altère fatalement le chromatisme et grise les couleurs.

emploi et abus du noir

Manet bannit le noir de sa palette. Et Monet, Degas, Sisley, Cézanne firent de même. Quelques années plus tard, une fois passée la vogue de Chevreul, le théoricien de la couleur, Van Gogh, Gauguin et Bonnard l'employèrent à nouveau, mais avec prudence, comme *couleur locale,* couleur même de l'objet, et non comme *couleur tonale;* en d'autres termes, ils ne se servirent pas du noir comme couleur pour indiquer les ombres; l'expérience de leurs prédécesseurs, Manet, Monet, Degas, etc., était assez concluante. Les uns et les autres savaient parfaitement que:

Dans la Nature le noir n'existe pas.

Le noir est, en effet, la négation de la lumière; une surface noire absorbe toutes les couleurs sans en réfléchir aucune. La couleur noire à l'huile —*noir d'ivoire, de fumée ou de jais*—, mélangée à toute autre teinte pour foncer et peindre les ombres, altère toutes les couleurs et les ternit jusqu'à les transformer en une sinistre cohorte de gris.

Tentez vous-même l'expérience: prenez de la peinture à l'huile jaune —un jaune de cadmium moyen, par exemple—, peignez une bande de couleur et tâchez d'assombrir le jaune avec du noir, par un dégradé comparable à celui de la page suivante (fig. 224A). Voyez-vous le résultat? Le noir n'assombrit pas le jaune: il le salit, le fait virer au vert; un vert étrange qui, d'aucune façon, ne saurait rendre l'ombre véritable de la couleur jaune. Revenons à la Nature et tâchons d'imiter à nouveau l'action du spectre solaire; nous le voyons, l'obscurité naît des rouges qui tournent à l'orangé, puis s'éclaircissent jusqu'au jaune. De telle sorte que la gamme parfaite d'un jaune dégradé devra partir du noir, pour passer progressivement par le rouge violacé, le Sienne, le Sienne orangé, le jaune de chrome, le jaune citron (combinaison de jaune, vert et blanc) et enfin le blanc.

Nous vous présentons à droite, figure du haut, un schéma du spectre solaire, suivi des figures 224A, MAL et 224B, BIEN; l'une représentant un jaune dégradé exclusivement à l'aide de noir et l'autre recourant à toutes les couleurs du spectre.

A titre d'exemple, regardez ce que j'ai peint moi-même pour vous dissuader d'utiliser le noir dans la peinture des ombres. Voici figure de droite (fig. 222, MAL), un vase et une banane jaunes, peints exclusivement en jaune

Fig. 222.— MAL. L'emploi abusif du blanc et du noir provoque dans cette image une tendance générale au sale, au gris, qu'accentue par ailleurs cette tonalité verdâtre, présente dans les ombres, et résultant de l'emploi abusif du noir mêlé au jaune.

222

Fig. 223.— BIEN. Si l'on utilise toutes les couleurs de la palette pour obscurcir et éclaircir les jaunes du modèle, le sujet acquiert une plus grande richesse de coloris, davantage de réalisme et, surtout, une meilleure qualité plastique et artistique.

223

Fig. 225.— Voici trois formules pour composer un noir neutre, un noir chaud et un noir froid, par le mélange des couleurs terre d'ombre brûlée, vert émeraude, carmin de garance et bleu de Prusse.

cadmium moyen, blanc et noir. Le résultat est franchement mauvais, froid, incolore, fade et sale; au-dessous le même modèle peint en utilisant la gamme de couleurs évoquée précédemment (fig. 223, BIEN), une palette de rouges, sienne, ocre, carmin, bleus... et un très léger apport de blanc.

Observez, enfin, que parmi les schémas du spectre solaire, en dehors du jaune et du rouge étudiés plus haut, nous vous présentons le schéma correspondant du bleu; remarquez que du côté éclairé, le bleu se juxtapose au vert, et du côté sombre au contraire, il s'achève par ce bleu intense, sombre, violacé, représenté sur les cartes d'échantillons de couleurs par la couleur *bleu outremer;* nous constatons donc que dans un dégradé de bleus, on devra trouver une nuance vert bleuté dans les parties claires, neutre au centre, et violette dans les zones d'ombre.

Et, à propos de noir, regardez en bas de page les trois types classiques de mélanges entrant dans la composition de la couleur noire... sans noir.

Formule A): Noir neutre:
    1/3 de couleur terre d'ombre brûlée
    1/3 de vert émeraude
    1/3 de carmin garance foncé.
Formule B): Noir chaud:
    1/3 de carmin de garance foncé
    1/3 de terre d'ombre brûlée
    1/6 de vert émeraude.
Formule C): Noir froid:
    1/3 de terre d'ombre brûlée
    1/3 de bleu de Prusse
    1/6 de vert émeraude.

Que signifie la formule «noir chaud, noir froid»? Un noir offrant une nuance carmin, convenant au noir de l'embrasure d'une porte ou d'une fenêtre dans un édifice situé en plein soleil — un noir teinté de rouge; ou au contraire le noir d'une zone très sombre, en pleine forêt —tirant sur le bleu.

224

224A MAL

224B BIEN

224C MAL

224C BIEN

224D MAL

224D BIEN

A   B   C

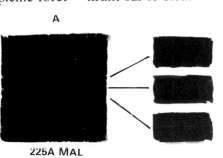

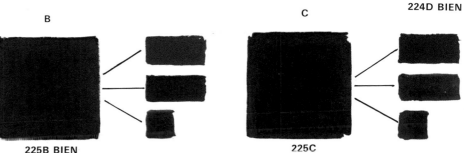

225A MAL   225B BIEN   225C

la couleur des ombres

Chaque artiste a sa propre palette; personne ne voit les couleurs de la même façon.

Mais, ce qui n'admet pas de variantes, ce qui, en peinture, doit se soumettre à un parfait *accord de tons*, c'est la couleur des ombres. Rubens disait à juste titre: «Peu importe la couleur des zones éclairées, à condition de peindre les ombres dans la couleur correspondante».

Mais, quelle est la couleur des ombres? Jadis, lorsque je dispensais des cours d'arts plastiques à l'Ecole Massana de Barcelone, je découvris une formule, que depuis lors, j'ai enseignée à des centaines d'élèves. Elle consiste à déterminer les couleurs composant la couleur de toute ombre, à savoir:

1. la couleur, réelle, de tonalité plus sombre,
2. la complémentaire de cette couleur,
3. le bleu, présent dans toute zone d'ombre.

Citons quelques exemples. Sur cette page et sur celle de droite, on peut voir plusieurs schémas peints dans les trois couleurs donnant la couleur de l'ombre. Voyez la nature morte de la figure 229 —une assiette, quatre pommes et deux bananes—, reproduite trois fois à petite échelle fig. 229 A, B, et C. Que «disent» ces images?

Fig. 229 A: la couleur réelle dans une tonalité plus sombre: c'est la couleur *tonale*, ocre pour l'ombre de l'assiette, jaune foncé pour les ombres des bananes, rouge foncé pour les pommes. Ces couleurs mélangées avec...

Fig. 229 B: ...la complémentaire de la couleur réelle: pour l'assiette et les bananes, de couleur jaune, la complémentaire est le bleu vif; pour les pommes, de teinte rouge, la complémentaire est le vert... Ces couleurs mélangées avec...

Fig. 229 C: ...le bleu, donnent la couleur des ombres.

Souvenez-vous que le bleu est la couleur dominante des ombres. C'est à vous de déterminer, selon le modèle, si ce bleu doit être limpide, neutre, comme le bleu de cobalt, ou plutôt verdâtre, ou encore bleu violet comme le bleu outremer.

226

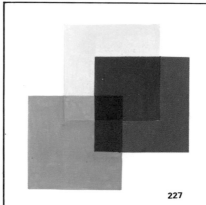 

227

Fig. 227.— NE L'OUBLIEZ PAS: Jaune, pourpre et bleu sont les couleurs primaires qui, mélangées par deux, permettent d'obtenir les couleurs secondaires vert, rouge et bleu violacé.

En formant un cercle composé de ces couleurs, on établit les couleurs complémentaires les unes des autres. Exemple: le bleu intense est complémentaire du jaune.

228

1   2   3

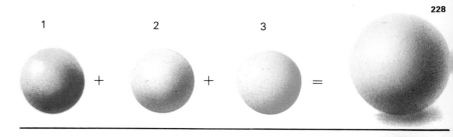

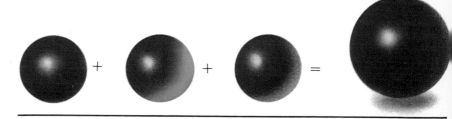

Fig. 228.— La couleur proprement dite de l'objet la plus sombre, mélangée à sa complémentaire et à une pointe de bleu, donne la couleur générique de l'ombre. Ci-contre, cette formule est appliquée à un corps de couleur jaune, à un autre rouge et à un troisième bleu.

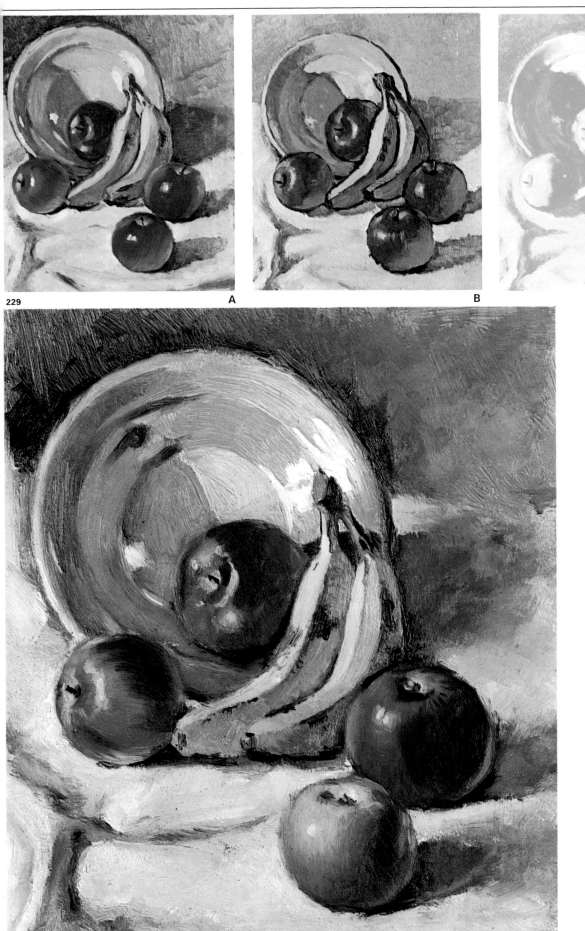

229   A   B   C

Fig. 229.— Nature morte dont les couleurs de base sont le jaune des bananes ou de l'assiette et le rouge des pommes. Les illustrations ci-dessus (fig. 229A, B, et C), montrent la «division» théorico-pratique des couleurs qui constituent l'ombre. Dans la figure 229A, j'ai peint dans l'ombre la couleur proprement dite, dans sa tonalité la plus sombre; dans la figure 229B, j'ai peint les ombres avec la complémentaire de la couleur précédente et, enfin, figure 229C, apparaît le bleu qui, selon le procédé photomécanique, intervient dans la couleur des ombres. A propos de ce bleu, citons cette phrase de Monet à ses amis au sujet de la couleur des ombres: «Au crépuscule, tout le paysage devient bleu», ou, ce qui revient au même: lorsque la lumière baisse dans les zones d'ombres, l'influence du bleu augmente.

l'harmonisation de la couleur

Dans toutes les œuvres des grands maîtres, il existe toujours une unité de couleur qui obéit, d'une part, à la signification du thème et, d'autre part, à une harmonisation de tons et de coloris recherchée par l'artiste lui-même. Ce n'est pas un hasard si, pour peindre les carnations, les visages et les corps de ses modèles, Rubens choisissait toujours une gamme de couleurs chaudes —roses, jaunes, ocre, orangés et rouges, Vélasquez préférant, lui, les gris, les roses nuancés de bleu, les jaunes sales, les ocres verdâtres, c'est-à-dire une gamme de couleurs moins chaudes, de tonalité presque froide.

L'harmonisation des couleurs est un art et un facteur important dans l'art de la peinture. Un tableau peut être peint dans des tonalités rougeâtres et un *coloris chaud;* il peut être réalisé aussi dans des teintes bleutées correspondant à une *gamme de couleurs froides;* et il peut offrir une série de tons et de couleurs grisâtres correspondant à une *gamme de couleurs rabattues.* Il est même possible de peindre dans une *gamme de couleurs mélodique,* fondée sur une dominante de couleur dans des teintes dégradées. Ce fut le cas de Picasso à son époque bleue ou à sa période rose (fig. 230).

Ces gammes de couleurs sont offertes par le sujet même, puisque, par bonheur, il existe toujours dans la Nature, quel que soit le thème, *une tendance lumineuse* à accorder certaines couleurs avec d'autres et toutes entre elles. Dans les illustrations ci-contre, figures 231, 232 et 233, je vous présente trois exemples de tendances lumineuses propres à la Nature elle-même. Sur la figure 232, vous voyez une marine peinte sur le quai des pêcheurs de Barcelone, dans une gamme de couleurs froides; c'était un jour d'hiver, vers dix heures du matin, le soleil voilé par les nuages éclairait à contre-jour, de sorte que la mer, presque «d'huile» reflétait telle un miroir blanc les taches grises et bleues des barques amarrées sur le quai. Tout était gris et bleu. C'était la seule chose à percevoir et à exprimer, il fallait presque se laisser obséder par l'idée de bleu pour réussir cet effet.

A l'inverse (fig. 233), je vous propose une rue de village peinte à cinq heures de l'après-midi, par une chaude journée d'été, dans une gamme de tons chauds. Le soleil «peint» à cette heure-là des couleurs chaudes jaunes, ocre, Sienne, rouges: remarquez cette gamme de jaunes et d'ocres réfléchie par les murs des maisons, dont même les ombres bleues of-

frent une nuance violacée tirant sur le rouge. Enfin, voyez figure 231, une nature morte peinte en intérieur, à la lumière du jour, dans une gamme de couleurs rabattues, d'une tonalité neutre, ni chaude, ni froide, résultant de mélanges entre couleurs complémentaires et blanc: technique intéressante dont nous parlerons plus loin.

La lumière artificielle offre, elle aussi, une variété de nuances chromatiques: la lumière d'une banale ampoule électrique est orangée; la lumière fluorescente est bleutée ou rose... Puisque nous sommes dans le domaine de la pratique, l'artiste doit tout d'abord étudier, avant de commencer à peindre, la nuance lumineuse du modele. Puis, une fois choisie la gamme de couleurs qui convient, il doit se laisser captiver par cette nuance et même l'accentuer; il sera capable alors d'interpréter la couleur et de peindre un bon tableau.

230

Fig. 230.— Pablo Picasso, *Mère et enfant au fichu.* Musée Picasso, Barcelone. © by S.P.A.D.E.M., 1983. Ce tableau appartient à la fameuse «période bleue» de Picasso. Le peintre peignait alors dans *une gamme de couleurs mélodique,* à dominante bleue.

231

Fig. 231.— J.M. Parramón, *Nature morte au jus de citron.* Collection particulière. Exemple d'harmonisation de la couleur et de l'emploi d'une gamme de couleurs rabattues offerte par les coloris et les tonalités du modèle même.

232

Fig. 232.— J.M. Parramón, *Le quai des pêcheurs du port de Barcelone*. Collection particulière. L'harmonisation de la couleur existe dans la nature elle-même. Au moment où j'ai peint ce tableau, un jour d'hiver à dix heures du matin, le soleil voilé par les nuages, le quai des pêcheurs du port de Barcelone offrait cette gamme de couleurs froides d'une harmonie parfaite.

233

Fig. 233.— J.M. Parramón, *La Torra*. Collection particulière. A cinq heures de l'après-midi, sous le soleil et un ciel dégagé. A cette heure, et en cette saison, la lumière est orangée, jaune, nuancée de rouge. La Nature harmonise elle-même les couleurs, «peint» formes et corps dans une tonalité dorée. Bref, harmoniser revient à savoir «regarder», interpréter et mettre en évidence ces effets de lumière et de couleur, même s'ils ne sont pas très nets, comme dans le cas présent.

gamme des couleurs chaudes

234

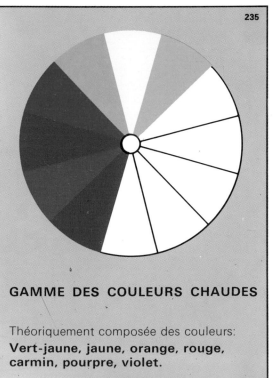

235

GAMME DES COULEURS CHAUDES

Théoriquement composée des couleurs:

Vert-jaune, jaune, orange, rouge, carmin, pourpre, violet.

D'un point de vue théorique, la gamme des couleurs chaudes se compose des couleurs indiquées sur la figure ci-contre (fig. 235). Dans la pratique, si l'on pense aux couleurs proches du rouge ou en rapport avec lui, si l'on observe les couleurs utilisées couramment par les professionnels et reproduites sur la palette ci-dessus (fig. 234), on peut établir la liste des couleurs suivantes

> **Jaune, ocre, rouge, terre brûlée, carmin de garance, vert permanent, vert émeraude et bleu outremer.**

Mais attention, prenez-y garde! Le fait d'avoir exclu de cette liste le bleu de cobalt et le bleu de Prusse ne signifie pas que ces deux couleurs —comme toutes les autres— ne peuvent intervenir dans une gamme de couleurs chaudes.

Gamme des couleurs chaudes signifie tendance chromatique au rouge, jaune, orangé, ocre, sienne... mais on peut mêler couleurs chaudes et bleus, verts, violets, pour griser, «salir», peindre l'ombre et la pénombre...

Fig. 234.— Cette palette réunit la gamme des couleurs chaudes; souvenons-nous que la dominante de couleur est le rouge, et les couleurs voisines le vert-jaune, le jaune, l'ocre, le carmin, le pourpre et le violet.

Fig. 236.— Paul Cézanne, *Nature morte au rideau et au pichet à fleurs* (détail). Musée de l'Ermitage, Léningrad. Remarquable exemple de l'application par Cézanne d'une gamme de couleurs chaudes. Étudiez ce coloris, vous constaterez que, par l'accord des valeurs de tons jaunes, rouges et sienne, Cézanne réussit une étonnante harmonisation de la couleur.

gamme des couleurs froides

237

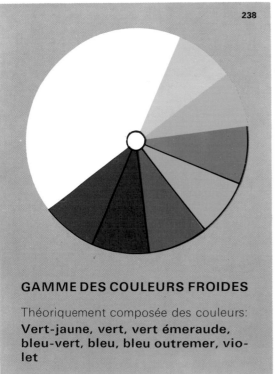

238

GAMME DES COULEURS FROIDES

Théoriquement composée des couleurs:
Vert-jaune, vert, vert émeraude, bleu-vert, bleu, bleu outremer, violet

Les teintes figurant ci-contre correspondent théoriquement à la gamme des couleurs froides; mais, dans la pratique, les couleurs de cette gamme sont celles dont l'artiste se sert couramment et qui composent la palette ci-dessus (fig. 237); à savoir (dans l'ordre où on les aperçoit sur la palette, de bas en haut et de gauche à droite):

Bleu de Prusse, bleu outremer foncé, bleu de cobalt foncé, vert émeraude, vert permanent, carmin de garance foncé, terre d'ombre naturelle, ocre jaune.

Observez maintenant ce splendide portrait de Degas (fig. 239) et vous comprendrez aisément qu'une gamme dite *froide* ne doit pas être nécessairement bleue... même si la tendance générale —y compris la nuance des couleurs chair— est du bleu.

Fig. 237.— Palette contenant la gamme des couleurs froides, à dominante bleue, accordée au vert clair, au vert neutre, au vert émeraude, bleu cobalt, bleu outremer et violet. Mais peindre dans une gamme de couleurs froides ne signifie pas pour autant exclure de sa palette les jaunes, les rouges et les ocres: ils peuvent avoir leur part dans l'harmonisation du tableau même si la tendance générale est au bleu.

Fig. 239.— Edgar Degas, *Portrait de jeune femme*. Musée du Jeu de Paume. Louvre, Paris. Exemple éloquent de nos propos antérieurs. Cet excellent portrait de Degas répond à une harmonisation des couleurs froides, non tant en raison du fond bleu ou du vêtement noir bleuté, mais par la présence de bleu dans les cheveux, les ombres du visage et la carnation même.

gamme des couleurs rabattues

240

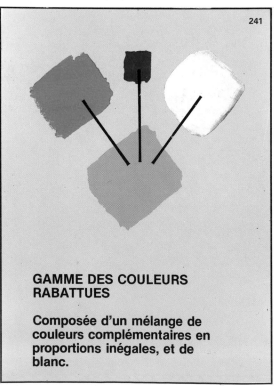

241

GAMME DES COULEURS RABATTUES

Composée d'un mélange de couleurs complémentaires en proportions inégales, et de blanc.

Prenez deux couleurs complémentaires entre elles, par exemple, du vert et du rouge vif et ajoutez-y du blanc, à volonté. Vous obtiendrez une couleur marron, kaki, ocre, verte... tirant toujours sur le gris et «sale». Plus ou moins foncée, selon la quantité respective des couleurs composant le mélange; plus grisâtre, en fonction de l'importance du blanc.

Le tableau reproduit page suivante (fig. 242), est un exemple frappant de peinture exécutée dans *une gamme de couleurs rabattues*. Voyez vous-même: le modèle situé dans une zone industrielle, soulignant la présence de bâtiments noircis par la suie des trains et sous un ciel couvert, impose une gamme de couleurs neutres, grises, «sales».

Vous noterez, en outre, que cette splendide gamme de couleurs rabattues offre la possiblité de choisir entre nuances froides ou chaudes. Vous constaterez, enfin, que la gamme de couleurs rabattues n'exclut aucune des autres couleurs de la palette.

Fig. 240.— Toutes les couleurs de la palette peuvent composer une gamme de couleurs rabattues, à condition de ne pas offrir de tonalités trop vives ou trop crues, mais d'être au contraire «cassées», sales.

242

Fig. 242.— J.M. Parramón, *Le pont de la rue Marina.* Collection privée. Un thème gris par temps couvert; wagons et locomotives, fumée, suie, couleurs sourdes, cassées. Un thème dicté par la Nature elle-même et qu'il m'a été donné de voir et de peindre. Remarquez la richesse de couleurs et de valeurs de tons; aucune d'entre elles ne ressort vraiment, si ce n'est ce rouge carminé du wagon de chemin de fer au centre, qui reste cependant dans la tonalité générale et a été rendu plus terne pour donner une couleur rabattue, accordée à l'ensemble. Choisissez un modèle gris, sous un ciel couvert, et exercez-vous à peindre dans une gamme de couleurs rabattues. Poésie pure, à mon avis.

la couleur chair

243

Eugène Delacroix tint un jour ces propos: «Donnez-moi de la boue et je vous peindrai la peau d'une Vénus... pourvu que vous me laissiez peindre autour d'elle et lui donner pour fond, les couleurs de mon choix».
Cette phrase nous confirme dans l'idée qu'il n'existe pas une couleur chair déterminée; que cette teinte dépend du fond, de l'éclairage, c'est-à-dire de la couleur de la lumière de l'intensité, de la qualité et des reflets environnants. Et, en dernier ressort, de l'affinité du peintre pour une gamme de tons donnée. Francesc Serra, excellent peintre de portraits et de nus féminins, me proposa un jour une «formule de composition» de la couleur chair: «J'ose affirmer qu'elle est identique ou très comparable à celle dont se servaient les artistes hollandais du XVIIIe siècle», me ditil. Je vous la présente, figure 245.

Fig. 243.— Francesc Serra, *Nu.* Collection privée.

Fig. 244.— Vélasquez, *La Vénus au miroir.* National Gallery, Londres.

Fig. 245.— La couleur de la chair dépend de nombreux facteurs. Voyez, en bas de la page suivante, la formule employée par Francesc Serra, un spécialiste du nu.

244

245

Du BLANC, mèlangé à de l'OCRE et du ROUGE ANGLAIS, donne une couleur chair claire. En ajoutant du BLEU OUTREMER, on obtient une coulcur chair foncée.

contrastes de ton et de couleur

Le phénomène des contrastes est à la fois surprenant, instructif et non dépourvu d'intérêt sur le plan pratique.

L'effet le plus connu est celui de la figure 247, ou *contraste simultané*. Il existe une loi à ce sujet: *une couleur est d'autant plus sombre que celle qui l'entoure est plus claire, et inversement, une couleur est d'autant plus claire que celle qui l'entoure est plus sombre*. On sait aussi, à propos des *contrastes simultanés*, que *la juxtaposition d'une même couleur dans des tonalités différentes, provoque l'exaltation des deux tons, le clair s'éclaircissant, et le sombre s'obscurcissant* (fig. 246).

Un autre effet dont il faut tenir compte est celui du *contraste maximal* produit par la juxtaposition de deux complémentaires entre elles (fig. 248 A, B, C, D, E et F).

Est également digne d'intérêt *l'induction de couleurs complémentaires: pour modifier une couleur donnée, il suffit de changer la couleur du fond sur lequel elle se détache* (fig. 249: le carré vert paraît plus bleu sur fond jaune et plus jaune sur fond bleu).

Jouons, enfin, *au phénomène des images successives:* il s'agit de regarder attentivement les trois globes de couleur sur fond blanc de la figure 250 et de concentrer votre regard au milieu de l'image, c'est-à-dire sur le globe rouge, une trentaine de secondes environ et dans un lieu bien éclairé. Au bout de ce laps

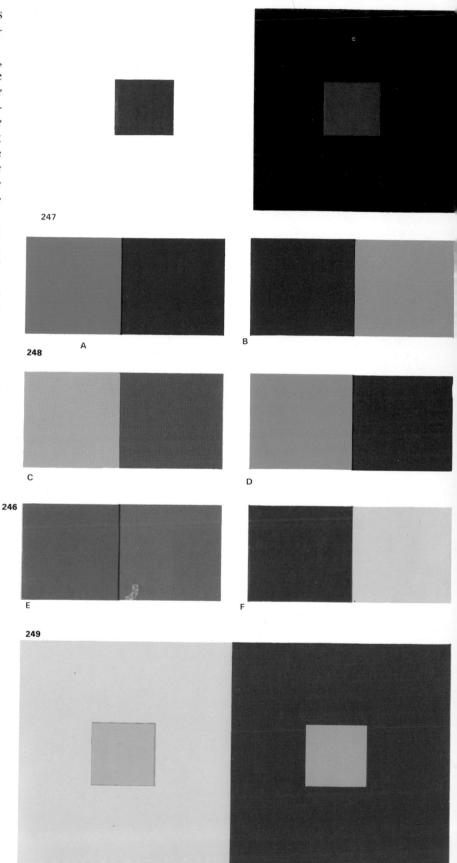

Fig. 246.— La juxtaposition de deux couleurs différentes produit l'exaltation de chacune d'entre elles; la claire s'éclaircit et la foncée s'obscurcit. Vues séparément, chaque bande présente un ton uniforme, mais, lorsqu'on les regarde successivement, l'une au-dessus de l'autre, on observe une nette variation de tonalité, chaque bande étant plus claire à la limite supérieure et plus sombre à la limite inférieure.

Fig. 247.— (A gauche). En vertu de la loi des contrastes simultanés, le carré pourpre, imprimé sur fond blanc, semple plus foncé que s'il se détache sur un fond sombre.

Fig. 248.— Le plus fort contraste produit par une couleur (quelle qu'elle soit), est dû à la juxtaposition de deux couleurs complémentaires. L'utilisation judicieuse de cet effet de contraste peut présenter, dans certaines compositions, une grande qualité esthétique. Il peut, néanmoins, provoquer des dissonances, par abus de teintes criardes; nous pouvons le constater fig. 248 A et B.

Fig. 249.— L'induction ou «sympathie» de complémentaires, loi de Chevreul, selon laquelle *une couleur projette sur la nuance voisine sa propre complémentaire,* apparaît à l'évidence dans cette illustration: un carré vert sur fond jaune présente une légère nuance bleutée, tandis que sur fond bleu, ce même carré tire sur le jaune.

Fig. 250.— Le physicien Chevreul établit la loi selon laquelle: «la vision de toute couleur crée, par "sympathie", l'apparition de sa complémentaire». Vous pouvez vous-même expérimenter ce phénomène, si vous regardez fixement, trente secondes, et sous un bon éclairage, les ballons imprimés ici sur fond blanc. Déplacez ensuite votre regard vers le haut, sur le même fond blanc et vous verrez ces mêmes formes, ces mêmes ballons, dans leurs couleurs complémentaires. (En réalité, vous distinguerez des sortes de halos lumineux).

250

de temps, dirigez votre regard un peu plus haut, au centre de l'espace blanc, et vous verrez alors les trois globes se détachant assez nettement sur le papier, dans leurs couleurs complémentaires, c'est-à-dire: le jaune, de couleur bleue, le rouge, de couleur verte et le bleu, de couleur jaune (en réalité, ces couleurs apparaîtront claires et lumineuses).
L'induction de couleurs complémentaires et *le phénomène des images successives* nous prouvent à l'évidence que la vision d'une couleur donnée crée, par «sympathie», l'apparition de sa complémentaire. Le physicien Chevreul énonça à ce sujet la loi suivante:

Une couleur projette sur la nuance voisine sa propre complémentaire.

contrastes de ton et de couleur

251

Fig. 251.— Francesc Serra, *La lecture.* Collection particulière. Dans cette œuvre, l'artiste a tenu compte de *l'induction de couleurs complémentaires.* Il a peint un visage gris, nuancé de vert et de jaune, mais sur fond bleu qui, par induction, teinte de rouge (complémentaire du bleu) le coloris du visage.

252

Contrastes simultanés, contrastes maxima, induction des couleurs complémentaires, images successives... A quoi sert tout cela?

Nous allons l'étudier d'un point de vue pratique.

Si vous souhaitez renouveler votre thématique et votre palette, rappelez-vous le choc de couleur provoqué par la juxtaposition de deux complémentaires, l'une «collée» à l'autre; tâchez de découvrir ces effets avant même de peindre, au moment où vous analysez et composez le modèle; songez à la possibilité de modifier les couleurs.

Si vous souhaitez qu'un objet ou un corps se détache du fond, acquière du relief, offre des contours plus nets, provoque un contraste simultané entre la ligne et le fond, entre la tonalité claire du sujet et celle plus sombre du fond, ou vice versa, étudiez à cet égard le procédé de Cézanne dans *Les Joueurs de cartes,* de la figure 252; observez les teintes sourdes, foncées, choisies pour peindre le fond derrière les têtes et les bras, afin de mettre en valeur les figures elles-mêmes. Les peintres actuels ont d'ailleurs adopté ce procédé.

Rappelez-vous *l'induction des couleurs complémentaires* et le *phénomène des images successives* et commencez toujours par peindre le fond, puis le sujet situé à l'avant, afin d'ajuster et d'harmoniser les tons; efforcez-vous de peindre *à la fois, tout à la fois,* et de couvrir toute la toile sans laisser de surfaces blanches, et rappelez-vous enfin cette affirmation de Chevreul:

Poser une touche de couleur sur une toile ne consiste pas seulement à peindre le tableau dans la teinte qui est sur le pinceau. C'est également colorer, à l'aide de sa complémentaire, tout l'espace environnant.

Fig. 252.— Paul Cézanne, *Les joueurs de cartes.* Musée du Jeu de Paume, Louvre, Paris. Observez l'effet de *contrastes simultanés* réussi ici par Cézanne; analysez comment le peintre a su tour à tour assombrir ou éclaircir fonds et contours, afin de donner plus de relief et d'expression aux formes.

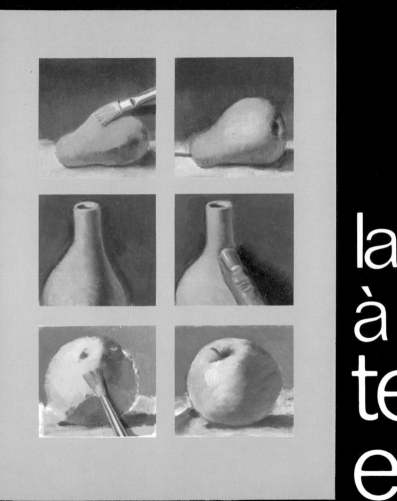

la peinture
à l'huile:
technique
et métier

apprendre à voir et à mélanger les couleurs

Technique et métier s'acquièrent. Voir et mélanger les couleurs, par exemple: voilà qui s'apprend en regardant, imaginant, s'exerçant et, enfin, en peignant.

Examinons dès maintenant ce processus. Regardez attentivement la figure 253, ci-contre. Cette gamme de tons ocre, rouges, pourpres, violets et mauves, a été obtenue à l'aide de ces trois seules couleurs: le jaune, le pourpre et le bleu cyan, comme on peut le voir sur les trois échantillons de couleur reproduits à plus petite échelle. Il s'agit de recouvrir de papier les trois taches de couleur ci-dessous et de choisir une teinte, n'importe laquelle, de la figure 253, en songeant à la quantité de jaune, de pourpre et de bleu nécessaire à sa composition. Exemple: la couleur F (le violet du centre), de quelle couleur est-elle? Imaginez-le vous-même, puis étudiez la solution: 0% de jaune, 80% de pourpre et 20% de bleu. «De quelle couleur est-ce donc?» Posez-vous cette question à tout moment. Chez vous, en voyant la couleur d'une orange... rouge de cadmium, jaune de cadmium et une légère quantité de carmin; en voyant la couleur d'un meuble en bois mat... ocre, blanc, et peut-être une pointe de bleu outremer. Regardez le ciel et demandez-vous de quelle couleur il est; imaginez qu'elle se compose de bleu, de blanc, en plus grande quantité, et d'une pointe de carmin. Ensuite, avec le modèle sous les yeux, l'exercice sera identique, mais offrira beaucoup plus de chances de réussite.

253

Fig. 253.— En regardant les couleurs de la figure ci-dessus, et en choisissant l'une d'entre elles, essayez d'analyser et de deviner quels mélanges il vous faudrait effectuer et dans quelles proportions, pour obtenir la composition de cette couleur.

Fig. 254.— (Ci-dessus, à droite). Le mélange, deux par deux, des trois primaires, donne les secondaires vert, rouge et violet ou bleu vif. La combinaison des trois ensembles donne le noir.

Fig. 255, 256, 257.— Vous pouvez voir ici trois gammes de couleurs: jaune-verdâtre, ocre-rougeâtre et bleu violacé; avec trois seules couleurs (et du blanc), on peut donc, en principe, obtenir toutes les couleurs de la Nature.

Fig. 258.— J. M. Parramón, *Paysage des Pyrénées catalanes*. Collection privée. Œuvre exécutée avec trois couleurs et du blanc.

mélange de trois couleurs et de blanc

254

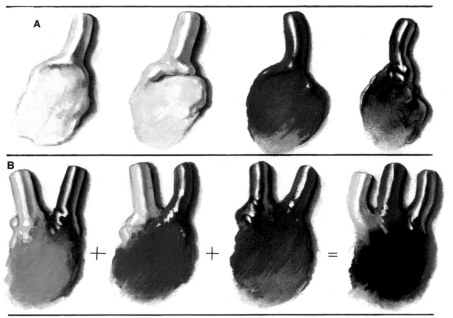

Le premier exercice pratique auquel devrait se livrer toute personne désirant apprendre à peindre une grande variété de couleurs, à partir de quelques mélanges, consiste à peindre avec seulement trois couleurs et du blanc.

Trois couleurs de base qui ne peuvent être composées par aucune autre: le jaune, le pourpre (carmin) et le bleu. Il s'agit, vous l'avez deviné, des trois *couleurs primaires* qui, mélangées entre elles, (avec apport de blanc, si nécessaire), peuvent composer toutes les couleurs de la nature.

Pour la peinture à l'huile, il s'agit de:

1. *Jaune de cadmium moyen.*
2. *Carmin de garance foncé*
3. *Bleu de Prusse.*

Voyez, figures 254 A et 254 B, comment obtenir les trois *couleurs secondaires,* vert, rouge et bleu soutenu, grâce au mélange, deux par deux, des primaires; remarquez que la combinaison des trois primaires donne le noir. Etudiez également les gammes de couleurs reproduites aux figures 255, 256 et 257, obtenues à partir du jaune, du carmin et du bleu évoqués précédemment. Examinez, enfin, ce paysage réalisé uniquement avec les trois primaires et du blanc. Incroyable? Nous allons en faire autant, vous et moi, à la page suivante.

255

256

257

258

composition des couleurs chaudes

COULEUR DES MURS SOUS LE SOLEIL

1 2 3 4 5

COULEURS DES MURS DANS L'OMBRE

6 7 8 9 10

COULEURS DIVERSES

11 12 13 14 15 259

Et maintenant, à l'œuvre! Nous allons peindre!

A titre d'expérience, nous allons tout d'abord apprendre à regarder et mélanger les couleurs, afin de vous permettre de réaliser une peinture dont vous puissiez être fier par la suite.

Imaginez que vous êtes en train de peindre un paysage urbain: celui de la figure 260, ci-contre. Il est cinq heures de l'après-midi: la lumière du couchant donne aux vieux murs de cette place une teinte dorée, jaune, ocre, orangée; dans les parties situées dans l'ombre, tous les plans et les corps s'embrasent de vermillon, de rouge.

Vous allez composer ces couleurs; faites-le, s'il vous plaît, en n'employant que les trois primaires.

MATÉRIEL INDISPENSABLE:

Couleurs à l'huile: jaune de cadmium moyen; carmin de garance foncé; bleu de Prusse.

Toile, carton ou papier épais.

Pinceaux: 5 pinceaux en soie de porc, plats, numéro 8 ou 10.

Divers: palette, essence de térébenthine, chiffons, coupures de journaux.

1. — Murs plus lumineux: mélangez du jaune et du blanc et ajoutez une pointe de carmin.

2. — Murs plus lumineux encore: ajoutez un peu plus de jaune et de carmin à la couleur précédente.

3. — Couleur générale: (nettoyez votre pinceau), prenez du jaune et ajoutez-y une légère quantité de blanc et de carmin.

4. — Couleur lumineuse soutenue: jaune seul, avec un peu de carmin, sans apport de blanc.

5. — Murs de gauche: ajoutez du carmin et un peu de blanc à la couleur précédente.

6. — Murs plus clairs dans l'ombre: (nettoyez votre pinceau ou prenez-en un propre); jaune et carmin, très peu de blanc et une pointe de bleu.

7. — Ombres du donjon: commencez par poser du jaune et ajoutez progressivement du carmin. Sans apport de blanc, ni de bleu.

8. — Ombres plus chaudes: la couleur précédente avec apport de carmin.

9. — Ombres plus foncées: la couleur antérieure avec un peu plus de jaune; ajoutez du carmin et un peu de bleu.

10. — Noir dans l'ombre: carmin de garance et un petit peu de bleu. Essayez d'obtenir un noir profond.

11. — Ocre verdâtre: jaune, blanc et un peu de carmin. Ajouter peu à peu du bleu (attention au bleu de Prusse! Il a un très fort pouvoir colorant).

12. — Vermillon: éclaircir un peu le carmin à l'aide de blanc et ajouter du jaune (mais, vous le voyez, on n'obtient pas un rouge brillant. Il s'agit là d'une des rares couleurs qui ne puisse être obtenu avec les trois seules primaires).

13. — Pourpre chaud: composé de carmin et de blanc, avec une pointe de jaune.

14. — Vert de vessie foncé: commencez par composer un vert brillant moyen avec du jaune et du bleu. Puis, ajoutez du carmin jusqu'à obtention de ce vert sale.

15. — Noir à tendance verdâtre: la couleur précédente, mais avec une plus grande proportion de bleu et de carmin.

260

Fig. 260.— J. M. Parramón,
*Plaza Nueva, fête de saint
Roc.* Collection privée.
Exemple d'harmonisation de
couleurs chaudes.

composition des couleurs chaudes

COULEURS
CHAIR
CHAUDES

16 17 18 19 20

VERTS
CHAUDS

21 22 23 24 25

GRIS ET
BLEUS
CHAUDS

26 27 28 29 30

261

Nous peignons toujours avec trois couleurs, mais cette fois sans être conditionnés par un modèle précis. Nous peindrons trois séries de couleurs chaudes; une première de couleurs chair; une deuxième de verts chauds et une dernière de gris et bleus chauds.

Et ceci avec les mêmes couleurs: blanc, jaune de cadmium moyen, carmin de garance foncé et bleu de Prusse; et le même matériel.

16. — Couleur chair lumineuse: une grande quantité de blanc, un peu de jaune et une pointe de carmin.

17. — Couleur chair rosée: la couleur précédente avec un peu plus de jaune et de carmin.

18. — Ocre jaune: jaune et blanc en proportions à peu près égales, un peu de carmin et de bleu.

19. — Terre de Sienne naturelle: la couleur précédente comportant plus de carmin, de jaune et à peine un peu plus de bleu.

20. — Rouge anglais: carmin et blanc jusqu'à obtention du ton; ajoutez alors un peu de jaune.

21. — Vert jaune: (nettoyez vos pinceaux, je vous en prie); blanc et jaune, puis ajoutez progressivement du bleu jusqu'à obtenir ce ton. Ajoutez enfin un peu de carmin pour «salir» le vert.

22. — Vert clair: la couleur précédente avec un peu plus de bleu.

23. — Vert brillant: jaune et bleu (sans addition de blanc) et une pointe de carmin pour obtenir une teinte plus chaude.

24. — Vert foncé chaud: la couleur précédente avec du bleu, ajouté peu à peu, jusqu'à obtenir l'intensité voulue.

25. — Noir à tendance verdâtre: la couleur précédente avec plus de bleu et de carmin.

26. — Gris chaud: Blanc, bleu et carmin qui donneront un violet très clair; ajoutez ensuite du jaune, progressivement.

27. — Gris mauve chaud: ajoutez à la couleur antérieure du bleu et du carmin en très petite quantité.

28. — Gris neutre chaud: ajoutez à la couleur précédente, un peu de jaune, du bleu et du carmin.

29. — Gris bleuté chaud: un peu de blanc, un peu plus de bleu et de carmin, afin d'obtenir un mauve tirant sur le bleu et le griser ensuite en y ajoutant du jaune.

30. — Bleu gris foncé: ajoutez à la couleur d'avant, du bleu et du carmin.

composition des couleurs froides

COULEURS CHAIR FROIDES

31   32   33   34   35

VERTS FROIDS

36   37   38   39   40

BLEUS GRIS

41   42   43   44   45

262

Comme sur la page précédente, mais travaillant à présent dans une gamme de couleurs froides, nous allons peindre trois séries de couleurs: l'une, de couleurs chair, l'autre, de verts, et une dernière de gris et de bleus.

Matériel: le même que lors des séances précédentes.

Je vous conseille de vous mettre au travail avec une palette et des pinceaux très propres.

31. — Reflets couleur chair: blanc et une infime quantité de jaune, de carmin et de bleu en proportions *égales. Forcer un peu cependant sur le carmin.*

32. — Couleur chair froide: blanc, un peu de jaune et de carmin jusqu'à obtention d'un orangé clair, auquel il faudra ajouter progressivement du bleu pour parvenir à ce ton.

33. — Couleur chair froide d'intensité moyenne: comme le précédent avec un peu plus de jaune et de bleu.

34. — Couleur chair dans l'ombre: blanc, jaune et bleu, donnant un vert clair auquel on ajoutera alors peu à peu du jaune et du carmin.

35. — Couleur chair dans l'ombre: avec du carmin, du bleu et un peu de blanc, composez un violacé tirant sur le carmin, ajoutez une pointe de jaune et, à partir de cette couleur Sienne, ajoutez du blanc et du bleu.

36. — Vert clair: blanc, une pointe de bleu et de jaune.

37. — Vert bleuté: identique au précédent avec un peu plus de bleu.

38. — Vert brillant: jaune et bleu, sans addition de carmin ni de blanc.

39. — Vert permanent foncé: identique au précédent avec davantage de bleu.

40. — Vert foncé: ajoutez au précédent un peu plus de bleu et une petite quantité de carmin.

41. — Bleu-gris clair: (nettoyez vos pinceaux, s'il vous plaît); blanc et bleu pour arriver à un bleu pâle; ajoutez alors une infime quantité de carmin et de jaune.

42. — Bleu-gris moyen: identique au précédent, mais augmenter la proportion de bleu.

43. — Gris-bleu froid: Comme précédemment, mais en augmentant le bleu et légèrement le carmin.

44. — Bleu-violacé: Ajoutez un peu de carmin à la couleur n° 42.

45. — Bleu-gris soutenu: identique au précédent, mais ajoutez du bleu et une pointe de jaune.

composition des couleurs froides

COULEURS DE LA TERRE ET DES STORES
46 47 48 49 50

COULEURS DU CIEL ET DE LA MER
51 52 53 54 55

OMBRES BLEUES PORTES SIENNE
56 57 58 59 60

263

Nous allons maintenant peindre une gamme de couleurs froides, correspondant au tableau de la page suivante: une marine où prédominent les verts et les bleus (fig. 264). Nous utilisons toujours le même matériel.

46. — Couleur de la terre en pleine lumière: beaucoup de blanc, un peu de jaune et une pointe de carmin donneront une lumière crème qu'il faudra «salir» avec un peu de bleu.

47. — Couleur terre normale: la couleur antérieure avec apport de jaune, de carmin et d'une pointe de bleu.

48. — Couleur terre des montagnes du fond: blanc, bleu et carmin, jusqu'à obtenir un violet chaud; ajoutez alors du jaune et du bleu pour parvenir à cette couleur.

49. — Store de gauche: la couleur précédente avec un peu de bleu et une infime quantité de jaune.

50. — Store de droite: couleur précédente avec un peu de bleu et une infime quantité de jaune.

51. — Reflets sur l'eau: (nettoyez vos pinceaux ou prenez-en d'autres); blanc avec un peu de bleu de Prusse.

52. — Autres reflets sur l'eau: la couleur précédente comportant davantage de bleu et une pointe de jaune.

53. — Couleur de l'eau (à gauche): comme la précédente, avec plus de bleu et une petite quantité de carmin; pas de jaune.

54. — Couleur de l'eau en général et d'une partie du ciel: la couleur précédente en insistant sur le bleu et avec une pointe de carmin.

55. — Couleur du ciel: la couleur précédente, comportant plus de bleu et une pointe de jaune.

56. — Ombres bleu-gris: blanc, bleu, très peu de carmin, pour obtenir un bleu lumineux. Ajouter alors un peu de jaune pour le «salir».

57. — Ombres plus bleues: éclaircissez la couleur précédente avec du blanc, ajouter ensuite un peu de bleu.

58. — Vert des portes de droite: ajoutez du jaune à la couleur précédente; puis mêlez un peu de carmin pour griser.

59. — Sienne foncées reflétées dans l'eau. carmin et jaune pour donner un rouge anglais; ajoutez du bleu, progressivement, jusqu'à ce que vous obteniez cette couleur terne d'ombre brûlée.

60. — Noir froid d'intérieur: bleu de Prusse et un peu de carmin.

264

Fig. 264.— J. M. Parramón,
Fornells. Collection privée.
Exemple d'harmonisation de
couleurs froides.

composition des couleurs rabattues

CIEL
MONTAGNES
ET PRÉS

COULEURS
DES
MAISONS

Imaginez que vous peignez un paysage dans une gamme de couleurs rabattues comme celui de la page suivante (fig. 266). Voici comment obtenir une telle richesse de tons au moyen de ces trois seules couleurs: jaune, carmin et bleu mêlées au blanc.

61. — Couleur du ciel: (nettoyez vos pinceaux); beaucoup de blanc et un peu de bleu donneront un ciel bleu clair, continuez par un peu de carmin et une quantité moindre de jaune.

62. — Couleur des montagnes: bleu, un peu de blanc et de carmin.

63. — Vert du pré en général: composez tout d'abord un vert brillant à l'aide de bleu et de jaune et grisez ensuite avec du blanc.

64. — Vert foncé du pré: la couleur précédente avec addition de bleu et de carmin.

65. — Vert du pré dans sa partie centrale: le vert antérieur mêlé à du blanc, du carmin et du jaune.

66. — Maison grise du premier plan à gauche: blanc, bleu et carmin, pour donner un violet bleuté; ajoutez alors du jaune et vous aboutirez à ce gris.

67. — Couleur de cette même maison dans l'ombre: couleur identique, en augmentant les proportions du mélange précédent.

68. — Maison du fond, à gauche: composez, d'abord, un vert clair à l'aide de blanc, de jaune et de bleu;

ajoutez alors progressivement un peu de carmin et de jaune.

69. — Maison teintée de rouge du fond: blanc, jaune et carmin, pour obtenir un orangé clair virant au rougeâtre; ajoutez-y un peu de bleu.

70. — Ombre de cette maison rougeâtre: cette même couleur teintée de bleu et de carmin.

71. — Couleur du chemin central: blanc, jaune, une pointe de rouge et du bleu, en quantité infinitésimale.

72. — Mur gris clair et porte au centre: blanc, bleu, une petite quantité de carmin et très peu de jaune.

73. — Gris des formes situées le long du mur au premier plan: la couleur précédente avec addition des mêmes couleurs en proportions égales.

74. — Couleur des murs: la couleur précédente, mais augmentez les proportions de chaque couleur.

75. — Couleur des troncs d'arbres: carmin et bleu avec un peu de jaune donnant la couleur rabattue chaude.

266

Fig. 266.— J. M. Parramón, *Paysage des Pyrénées catalanes*. Collection privée. Exemple d'un thème peint dans une gamme de couleurs rabattues.

composition des couleurs rabattues

COULEURS
DIVERSES

76 77 78 79 80

OCRES ET
SIENNE
RABATTUŠ

81 82 83 84 85

COULEURS
DIVERSES
RABATTUES

267

86 87 88 89 90

Et voici une dernière gamme de couleurs rabattues, composée dans des tonalités neutres et ne se rapportant à aucun modèle de tableau particulier.

76. — Couleur ivoire grisée: (rappelez-vous: palette et pinceaux propres). Composez d'abord une couleur crème rosée, puis ajoutez un peu de bleu.

77. — Ocre grisé: les couleurs précédentes, mais en augmentant les proportions.

78. — Mauve tirant sur le gris: identique à la précédente, mais ajoutez du carmin et un peu de bleu.

79. — Terre d'ombre naturelle: la même couleur, mêlée de jaune et de bleu.

80. — Violet foncé: toujours la même couleur, mêlée de bleu et d'un peu de carmin.

81. — Ocre clair: (nettoyez vos pinceaux); blanc, jaune, un peu de carmin et de bleu.

82. — Ocre jaune foncé: toujours la même couleur, mais augmentez un peu les proportions et notamment le carmin.

83. — Sienne brûlée: blanc, jaune et carmin, pour obtenir un orangé tirant sur le rouge; ajoutez alors une pointe de bleu.

84. — Ombre brûlée: ajoutez à la couleur précédente du carmin et un peu de bleu.

85. — Terre d'ombre naturelle foncée: composez, d'abord, un violet foncé à l'aide de bleu, de carmin et d'un peu de blanc; ajoutez du jaune et davantage de blanc, si nécessaire.

86. — Blanc cassé: (nettoyez vos pinceaux); blanc, carmin et jaune, en petite quantité, ajoutez un soupçon de bleu jusqu'à obtention de la couleur désirée.

87. — Vert clair tirant sur le jaune: la couleur précédente mêlée à une pointe de jaune et de bleu.

88. — Vert de gris: la couleur antérieure avec addition d'un peu de jaune, moins de bleu et encore moins de carmin.

89. — Gris bleuté: (nettoyez vos pinceaux); composez un bleu ciel, à l'aide de blanc et de bleu et cassez-le ensuite avec une petite quantité de jaune et de carmin.

90. — Gris moyen bleuté: la même couleur, avec apport de bleu, d'un peu de carmin et d'une pointe de jaune.

comment peindre avec trois couleurs et du blanc

Si vous êtes un professionnel de la peinture à l'huile, passez cette page et les quatre suivantes. Si vous êtes un amateur doté d'une certaine expérience, arrêtez-vous, lisez, étudiez le texte et les illustrations et songez à la possibilité de réaliser cet exercice: vous le verrez, il peut représenter pour vous une bonne «gymnastique». Si vous êtes un amateur presque encore inexpérimenté, ne négligez pas cet exercice; quand vous l'aurez terminé, vous serez surpris vous-même de votre aisance à peindre.

Regardez sur la photographie ci-contre, le modèle du tableau que vous allez réaliser (fig. 268); il s'agit d'une simple nature morte, placée à l'angle d'une table recouverte d'une nappe blanche; elle comprend une jarre en terre cuite, un plat en céramique vert foncé, contenant quatre ou cinq fruits, deux oranges, une pêche et un citron; une grappe de raisin, un verre à demi rempli de vin et une pomme; au fond, on distingue le dossier d'une chaise placée devant un mur d'un gris uniforme. L'éclairage est à contre-jour, c'est-à-dire que la lumière vient de derrière. Remarquez enfin, c'est important, que pour adoucir le contraste de cet effet d'éclairage à contre-jour, j'ai installé sur des chaises deux toiles blanches, placées de chaque côté du modèle et face à lui, en guise d'écrans réflecteurs —à la manière des photographes— pour compenser ainsi l'excès de contraste et le caractère trop violent du contre-jour. Voyez, figure 269, le montage réalisé dans le but d'améliorer l'éclairage du modèle.

Permettez-moi de vous dire, enfin, que ce qui importe dans cet exercice n'est pas vraiment le modèle, ni le fait de peindre d'après nature, ce dernier point ayant toutefois son importance, mais d'apprendre à peindre toutes les couleurs du modèle en se servant uniquement des trois primaires, bleu, carmin, jaune et de blanc. Si vous peignez ce tableau avec ces trois couleurs —*même si vous copiez celui que j'ai réalisé moi-même*, page 137— je puis vous affirmer que vous aurez fait beaucoup de progrès en peinture, grâce à la pratique de la composition et des mélanges.

Dans le cadre ci-joint, vous trouverez la liste du matériel nécessaire à la réalisation de l'exercice.

Fig. 268.— Modèle disposé par moi-même pour peindre avec trois couleurs et du blanc. Le fond correspond à un mur blanc dans l'ombre; le modèle est éclairé par derrière, à contre-jour.

268

Fig. 269.— Une image à contre-jour produit un halo lumineux sur les contours supérieurs des corps, le reste demeurant dans l'ombre. D'ordinaire, cela donne un modèle peu coloré, très contrasté. Pour adoucir ce contraste trop marqué, j'ai disposé deux grandes toiles, en guise d'écrans réflecteurs susceptibles de me donner davantage de lumière et de couleur. Observez sur cette photo la situation de la verrière, source lumineuse de l'atelier. Je l'ai située beaucoup plus bas, pour la faire apparaitre dans le tableau.

269

MATÉRIEL NÉCESSAIRE
À LA RÉALISATION DE CET EXERCICE

1 pinceau soie de porc N° 4
2 pinceaux soie de porc N° 6
2 pinceaux soie de porc N° 8
3 pinceaux soie de porc N° 10
2 pinceaux soie de porc N° 12
1 spatule en forme de truelle
1 godet à huile
1 bidon ou petit récipient
pour essence de térébenthine

Fusains
Spray fixateur de fusain
Carton-toile du n° 3, Figure
Couleurs à l'huile:
— Jaune de cadmium moyen
— Carmin de garance foncé
— Bleu de Prusse
— Blanc de titane
Palette

comment commencer un tableau

Avant de commencer à peindre, il est parfaitement légitime que l'artiste (vous-même) contemple le modèle un certain temps, étudie les effets d'ombre et de lumière, les contrastes, analyse formes et couleurs, essaie enfin d'imaginer l'œuvre achevée... l'artiste (vous-même) commence dès lors à interpréter, imaginer et changer mentalement formes, contrastes et coloris.

Moi-même, avant de me mettre à peindre, j'ai fait cette analyse du modèle.

«Un fond si uniforme ne me plaît pas. Il y a, tout en haut de ce mur, une grande verrière, je la peindrai donc plus bas, pour rompre la monotonie du fond».

«Je n'aime pas cette grappe de raisin; elle est trop mûre, elle est laide: je peindrai de mémoire du raisin frais».

«Je n'aime pas la pomme; elle est terne; j'ajouterai du rouge aux jaunes».

«Sur la nappe, au premier plan, je peindrai quelques plis de teinte gris-ocre-crème...»

D'ordinaire, ce type de réflexions prend la forme d'une esquisse initiale, mais nous négligerons cette étude préalable pour passer directement à l'ébauche du tableau.

Mais par où commencer? En dessinant d'abord le modèle? en peignant directement, sans esquisse préalable? Vieille polémique. On peut du moins proposer une réponse à cette question: les artistes qui peignent presque sans ombres, et éclairent les corps par une lumière frontale ou diffuse, qui voient et distinguent les objets au moyen de taches de couleur (Van Gogh, Matisse, Bonnard, etc.), c'est-à-dire les «coloristes», commencent directement le tableau; par contre, ceux qui indiquent les effets d'ombres et de lumières (Chardin, Corot —Corot disait à Pissarro: «commence par dessiner les ombres»— Manet, Nonell, Dali, etc.), ceux que nous pourrions qualifier de «valoristes», ceux-là, en général, commencent par dessiner leur modèle. Disons qu'entre ces deux extrêmes, il y a un moyen terme, consistant à faire un rapide croquis, à titre indicatif. La figure 270 est un exemple de cette synthèse de construction.

Mais nous, nous allons dessiner le thème avec une certaine précision, indiquer dimensions et proportions, étudier l'effet général, ce qui nous donnera ensuite plus d'assurance pour peindre.

Voici le dessin au fusain, corrigé à la gomme, que j'ai réalisé à titre d'exercice préalable, avant de commencer à peindre (fig. 271). Une fois le dessin achevé, il faut le fixer.

270

Fig. 270.— Croquis à main levée, par lequel un professionnel a coutume de commencer un tableau à l'huile. Il a été réalisé à l'aide d'un pinceau rond, en soie de porc. n° 4, et avec des couleurs bleu de Prusse et terre d'ombre brûlée, allongées d'essence de térébenthine.

Fig. 271.— Pour assurer la construction et réaliser une étude préalable des valeurs du tableau, certains professionnels dessinent le modèle au fusain et délimitent les blancs en recourant à la gomme. Une esquisse de ce type doit être fixée.

271

par où commencer, premier état

La *loi des contrastes simultanés* —rappelez-vous—, nous enseigne que l'intensité d'une couleur est déterminée par la couleur du fond environnant. Si l'on tient compte de cette norme, il faut éviter de peindre, dès l'abord, sur la toile blanche, une forme ou un objet isolé dont la valeur tonale risquerait de se trouver modifiée par la couleur du fond que nous poserons plus tard. Nous devons donc nous efforcer de couvrir, dès que possible, les grands espaces vides et de colorer les surfaces les plus importantes. Nous commencerons ce tableau par le fond gris bleuté; nous peindrons ensuite les couleurs lumineuses de la verrière, puis la jarre en terre cuite, les fruits...

J'ai pour habitude, remarquez-le, de réserver pour la fin les contours du dessin, tels le profil des anses de la jarre, ou le dossier de la chaise. Je peins la lumière extérieure de la verrière: je prends un pinceau propre.

Soyez très vigilant sur l'état de propreté des pinceaux: n'essayez jamais de peindre une couleur claire à l'aide d'une pinceau portant encore des traces de couleur foncée. Il est indispensable de nettoyer vos pinceaux régulièrement.

Attention au raisin: il est toujours d'une exécution délicate, problème facile à résoudre si l'on prend soin de dessiner les contours avec la plus grande précision possible; il faut compter les grains, tenir compte de leur taille, de leur place à l'intérieur de la grappe, ménager les ombres créées par les vides séparant les grains entre eux.

Je pose de la couleur sur la pomme du premier plan et le vin du verre.

Je peins ensuite quelques taches de couleur crème, sur le devant de la nappe, qui me serviront ensuite à indiquer les ombres des plis. Et je m'arrête là (fig. 272).

Je fais une pause: le temps de fumer une cigarette ou de boire un verre, le temps de reconsidérer l'ensemble et de réfléchir...

Je nettoie palette et pinceaux.

Fig. 272.— A ce premier stade du tableau, il s'agit seulement de donner à la toile une coloration générale, afin de mieux ajuster, par la suite, les tons et les contrastes de chaque élément.

272

273

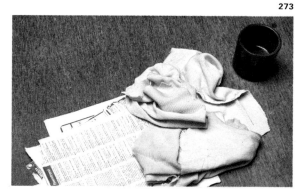

Fig. 273.— Il est important, lorsque l'on peint, de nettoyer régulièrement pinceaux et palette à l'aide d'essence de térébenthine, de coupures de journaux et de chiffons. On commence par ôter l'excès de peinture, en frottant à maintes reprises le pinceau sur le journal. Puis, on le plonge un moment dans un petit récipient d'essence, on l'essuie et on le frotte à nouveau, mais cette fois sur un chiffon, en répétant deux ou trois fois l'opération, ce qui achève de le nettoyer parfaitement.

deuxième état

Fig. 274.— A ce deuxième stade de l'œuvre, valeurs de tons et contrastes s'ajustent mieux au modèle; formes et couleurs ont été traitées par grands aplats. Nous sommes parvenus à un stade très avancé de l'exécution, mais il s'agit encore d'une synthèse, laissant entrevoir une évolution finale satisfaisante.

274

Je commence la nappe: outre le bleu et le blanc, je constate qu'il faut ajouter quelques touches de cette couleur crème déjà posée au premier plan. Je peins le contour éclairé des fruits, à l'aide de bleu clair et d'une touche de carmin. J'utilise cette teinte violacée pour peindre le reflet du vin dans le verre.

Je peins ensuite la partie de la pomme du premier plan qui se trouve dans la lumière et je commence à repeindre la jarre.

J'ai assombri le fond; je crois être allé un peu trop loin. J'ai travaillé un certain temps les reflets bleutés du contour de la jarre... Je peins la chaise... la corbeille à fruits, elle est très foncée sur le modèle et je décide de lui donner une tonalité plus claire. Je peins la pomme du premier plan, les ombres portées de la corbeille à fruits sur la nappe et celles de la pomme, du raisin, du verre... J'achève la pomme du premier plan... et je vais repeindre les fruits disposés dans la corbeille à l'aide de couleurs franches, éclatantes...

Je laisse le tableau à ce stade, tel que vous pouvez le voir, figure 274.

dernier état

Fig. 275.— En effet, à partir de la synthèse précédente, il était relativement facile de parvenir à ce résultat final. Outre le désir d'ajuster couleurs et contrastes —celui de la verrière du fond et ce fond lui-même, plus clairs; les reflets de lumière sur la jarre et les fruits, moins bleus; le ton général de la nappe, plus blanc, etc.—, je me suis efforcé surtout de diversifier le coloris et de créer, ou plutôt d'accentuer cette atmosphère «irréelle», en un mot le lyrisme et la spiritualité qui se dégagent d'un éclairage à contre-jour.

275

Comme vous pouvez le constater, au cours de cette dernière séance —trois jours après la précédente—, je me suis «repenti» de bien des formes et des couleurs. J'ai peint et repeint, toujours avec trois couleurs et du blanc, pour «reprendre» toutes les couleurs du tableau. Voyez et comparez: à cette phase ultime de l'œuvre, il y a moins de bleu, le fond est plus clair, la nappe plus blanche, la jarre plus lumineuse, moins sale (elle m'en a fait voir, cette fameuse jarre, si souvent recommen-

cée!). Je crois, enfin, qu'à ce stade final, le tableau a plus d'atmosphère, plus de réalisme, grâce aux formes et aux ombres plus dégradées, plus subtiles, qui rendent mieux l'effet d'impression instantanée. Observez et comparez, par exemple, les ombres portées de la corbeille de fruits, de la grappe de raisin, du verre, de la pomme, sur la nappe...

Et ne l'oubliez pas: rien qu'avec trois couleurs et du blanc.

deux heures et demie pour peindre un tableau

276

Fig. 276.— Voici le modèle choisi pour peindre et expliquer la technique de peinture directe. Une vue d'un village nommé Torla, dans les Pyrénées aragonnaises, à quelques kilomètres de la frontière française.

Fig. 277.— Avec un pinceau en soie de porc très peu chargé de couleur (bleu de Prusse et terre d'ombre brûlée), allongée d'essence de térébenthine, comme si je peignais à l'aquarelle, j'ai exécuté une ébauche rapide —un quart d'heure tout au plus—, synthèse des éléments principaux composant le modèle et à partir de laquelle je pouvais entreprendre la réalisation du tableau.

277

Fig. 278.— L'esquisse initiale demeure. Il s'agit à présent d'emplir les espaces de différentes tonalités de verts, d'ocre et de Sienne, inspirées par le modèle, sans y être, pour autant, entièrement soumis; on peut se laisser porter par son propre sens esthétique, la composition ou la juste appréhension des formes et par l'harmonisation de la couleur.

278

Les impressionnistes innovèrent *la technique de peinture directe*. Ils peignaient leurs paysages en une seule séance; trois ou quatre heures leur suffisaient pour commencer et achever une toile; ils s'efforçaient de saisir l'impression du moment et ils y parvenaient! Comment? En peignant *directement*.

En donnant à leur toile, dès la première touche de pinceau, sa forme d'exécution définitive.

Ce procédé dépend en grande partie de l'expérience et du métier de chacun, mais il est lié, d'autre part, à l'attitude de l'artiste devant son tableau.

D'ordinaire, ni vous, ni moi, ni aucun artiste peintre, ne tirons parti de nos facultés intellectuelles. Nous travaillons généralement sans nous concentrer vraiment, sachant qu'«il y a toujours une seconde fois», une deuxième ou une troisième séance pour nous permettre de refaire, reprendre, «nous repentir», rectifier... Mais, avec la formule inventée par les impressionnistes, il n'y a plus de deuxième fois! L'artiste est obligé de se dire qu'une seule occasion lui est offerte de réaliser le tableau, formes et couleurs; et il doit s'imposer la discipline de ne pas revenir sur ce qu'il a fait, de le terminer «alla prima», d'un seul jet; il s'agit pour lui de s'engager depuis le commencement jusqu'à la fin de l'œuvre.

C'est une *question d'attitude*, je le répète. Mais il s'agit aussi d'une technique que je vous expose à travers les illustrations et les textes ci-joints.

Fig. 279.— Pâte à peine plus épaisse. Exécution «alla prima» en deux couches appliquées de haut en bas. J'ai suivi le modèle, en l'interprétant, et recherché la synthèse et la simplification des formes et couleurs: prés, arbres, buissons. Et surtout, **AVANT TOUT,** devrais-je dire, en DIVERSIFIANT le coloris. Durée totale de l'exécution: deux heures et demie.

comment peindre en plusieurs séances

Nous pourrions définir cette technique dans les termes suivants: *la peinture par étapes est celle qui permet d'exécuter l'œuvre en plusieurs séances, sur peinture sèche ou à demi-sèche, et d'affiner dessin, modelé, contraste et coloris.*
C'est la technique des maîtres anciens, encore pratiquée de nos jours par bien des artistes, pour les *tableaux de chevalet,* peints en atelier: natures mortes, portraits et figures en général, de grand format.

Dès le début du travail, cette technique n'offre plus aucun point commun avec la peinture directe. Dans la peinture par étapes, l'artiste se soucie avant tout de dessiner, modeler — disposer ombres et lumières —, remettant à plus tard l'étude de la couleur.

La première étape du travail, celle du dessin et du modelé, consiste à poser de légères couches de peinture presque monochrome, dans des nuances chaudes ou froides, selon la gamme harmonique déterminée à l'avance.

Sur cette solide ébauche, le peintre commence alors à appliquer la couleur proprement dite, en couches plus épaisses lui permettant de peindre et de repeindre, selon la technique du frottis.

Le nu, peint à l'huile par Francesc Serra (figures 280 à 283), est un exemple éloquent de ce procédé.

Francesc Serra peignit ce tableau sur une toile du numéro 40, Figure. Il fit quelques études préalables au fusain et à la sanguine, afin de déterminer la pose du modèle. Il commença le tableau par un croquis au fusain et réalisa la première séance de peinture avec une palette réduite à cinq couleurs de base: blanc d'argent, noir, Sienne brûlée, ocre jaune et terre d'ombre brûlée; gamme très neutre, offrant des tonalités grises, plutôt sales (voir la figure 280). Observez la réserve des traits de fusain qui dessinent le modèle.

280

281

282

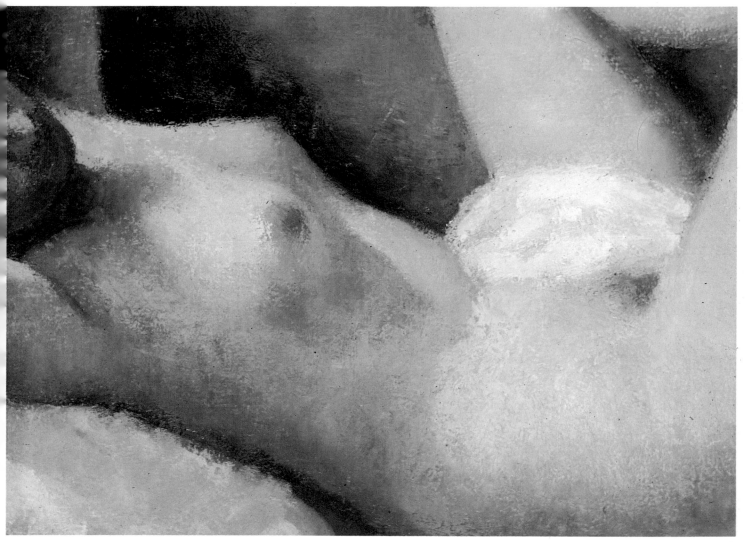

283

Cinq jours plus tard, Serra se remit à l'œuvre, dans l'intention de «*peindre*», d'élaborer la matière, d'enrichir sa pâte. Comme nombre d'artistes, il menait cinq ou six tableaux à la fois. Il avait coutume de les laisser et de les reprendre au bout de trois ou quatre jours, travaillant deux heures par séance, tout au plus (fig. 281).

Et voici enfin l'œuvre achevée; elle exigea du peintre trois autres séances pour monter peu à peu et intensifier la couleur, étudier les nuances les plus subtiles, à l'aide d'une pâte de plus en plus épaisse, appliquée en frottis. (Voir l'agrandissement reproduit fig. 283.)

Francesc Serra est mort il y a quelques années. J'eus la chance de me trouver à côté de lui, dans son atelier de Tossa de Mar, alors qu'il travaillait à cette œuvre. Il avait une prédilection pour Titien.

Fig. 283.— Francesc Serra, *Nu* (détail). Collection particulière. Comme on peut le deviner sur cette reproduction, Francesc Serra aimait peindre en pleine pâte et mettre en valeur la matière, grâce à la superposition de couches successives de peinture, selon les techniques de frottis propres à Titien et Remblandt (pages 28 et 36).

284

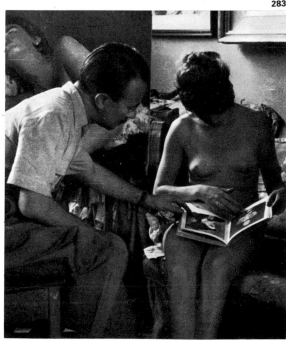

Fig. 284.— Francesc Serra s'entretenant avec son modèle, pendant une pause, au cours d'une séance de travail.

technique et métier

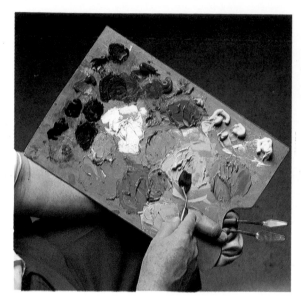

La technique de la peinture au couteau ou «truelle à peindre» est assez compliquée; elle a ses caracteristiques propres et requiert de l'habilcté, comme nous le verrons plus loin. Ce procédé n'exige pas l'emploi de diluants, les couleurs sont mélangées et appliquées en pâte épaisse, telles qu'elles se présentent au sortir du tube; la palette sert également pour préparer les mélanges, et malaxer les couleurs; on travaille avec trois, quatre couteaux tout au plus, de tailles différentes, qui ont d'ordinaire la forme d'une truelle de maçon. On peut utiliser cette «truelle à peindre», soit directement sur la toile brute, soit sur un léger fond de couleur diluée à l'essence de térébenthine, appliquée au pinceau. Ce procédé présente l'avantage d'offrir un fond qui recouvre toutes ces petites surfaces que le couteau ne peut atteindre sans risque de détruire le dessin initial. Si vous recherchez une facture plus actuelle, effectuez vos mélanges de couleurs à même la toile, sans recourir à la palette.

Les grandes surfaces sont peintes de premier jet, à la phase initiale de l'œuvre; il convient alors de ne pas les retoucher aux phases suivantes. Pour les surfaces plus fragmentées, offrant une certaine complexité de formes et une multitude de détails, il est préférable d'appliquer des mélanges préparés d'avance sur la palette. A la phase ultime de l'œuvre, au moment de poser les dernières touches de couleur, on peut fort bien rectifier ou reprendre à l'aide d'un pinceau en poil de martre, mais en s'assurant de conserver l'aspect lisse, émaillé, propre à cette technique.

Disons, pour conclure, que la peinture au

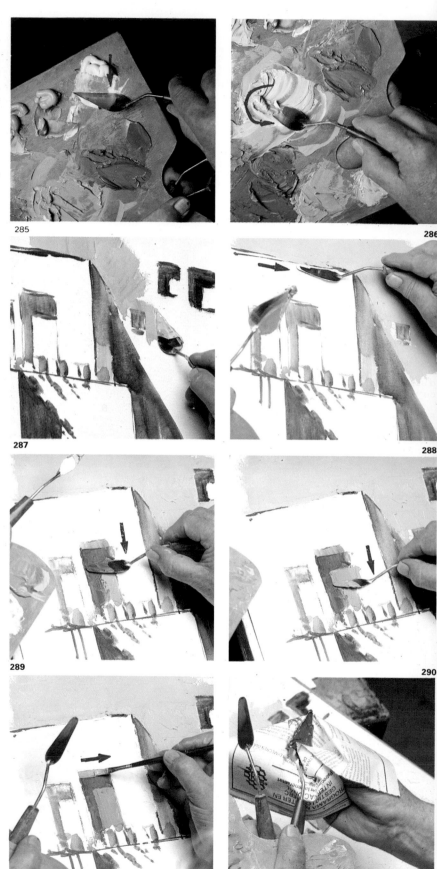

285

286

287

288

289

290

291

292

peindre un tableau au couteau

couteau peut être appliquée en pleine pâte, par superposition de couches successives, ou en demi-pâte couvrante, d'une épaisseur pratiquement normale. J'ai adopté cette technique pour peindre au couteau le patio représenté ci-contre, sur un léger fond de peinture appliquée au pinceau.

Fig. 285.— Pour prendre de la couleur sur la palette, le couteau sépare et détache la quantité de pâte nécessaire.

Fig. 286.— On effectue les mélanges en malaxant deux couleurs et en les battant d'un mouvement circulaire du couteau.

Fig. 287.— Comment étendre de la couleur sur la toile.

Fig. 288.— Pour tracer des formes rectilignes, on tient le couteau à plat et on l'applique sur la toile en appuyant pour déposer la couleur.

Fig. 289.— Pour délimiter des contours précis, telle l'ombre vert foncé de la porte, il arrive parfois que le couteau déborde un peu. Détail sans importance et d'ailleurs parfaitement normal...

Fig. 290.— ...comme il est normal de superposer les couleurs pour dessiner et reconstruire les formes.

Fig. 291.— On doit peindre les détails à l'aide d'un pinceau en poil de martre.

Fig. 292.— On peut parfaitement nettoyer le couteau avec du papier journal.

Fig. 293.— Premier état d'un tableau peint au couteau, à partir d'une esquisse peinte à l'huile allongée d'essence de térébenthine.

Fig. 294.— Deuxième état: peint au pinceau imprégné de peinture très fluide.

Fig. 295.— Troisième état: on commence par peindre les grandes surfaces (ici en ajustant et en modifiant les couleurs). Observez les effets de relief dus à l'emploi du couteau.

293

294

295

296

Fig. 296.— La peinture au couteau donne une facture différente, en fonction de l'épaisseur de la pâte. Cette technique suppose à la fois l'emploi de la pleine pâte, qui met en évidence l'épaisseur de la couche de peinture, et l'emploi de la demi-pâte, couvrant le grain de la toile, comme dans le tableau ci-contre, tout en conservant la qualité de fini propre à la technique de peinture au couteau. Cette dernière formule convient particulièrement à des tableaux de petit format, comme celui-ci, réalisé sur toile nº 8. Figure (38 × 46 cm).

Comme vous pouvez le voir dans ce tableau achevé, le couteau m'a servi à rendre la forme et la couleur des murs, des portes et des fenêtres en général. J'ai utilisé le pinceau à quelques reprises pour peindre et retoucher certains détails, telles les grilles de la petite fenêtre du bas. Les pots de fleurs, les plantes et leurs ombres portées sur le mur d'en face ont été peints également au pinceau en poil de martre.

Mais il est préférable d'en limiter l'usage et de confier au couteau le soin de construire les formes; certes, les défauts de fini inhérents à cette technique seront visibles sur la toile, mais précisément cet aspect quelque peu irrégulier et ce manque de précision donnent une facture intéressante et expressive, que l'on nomme communément un «fini au couteau».

on peint
comme
on dessine

construction

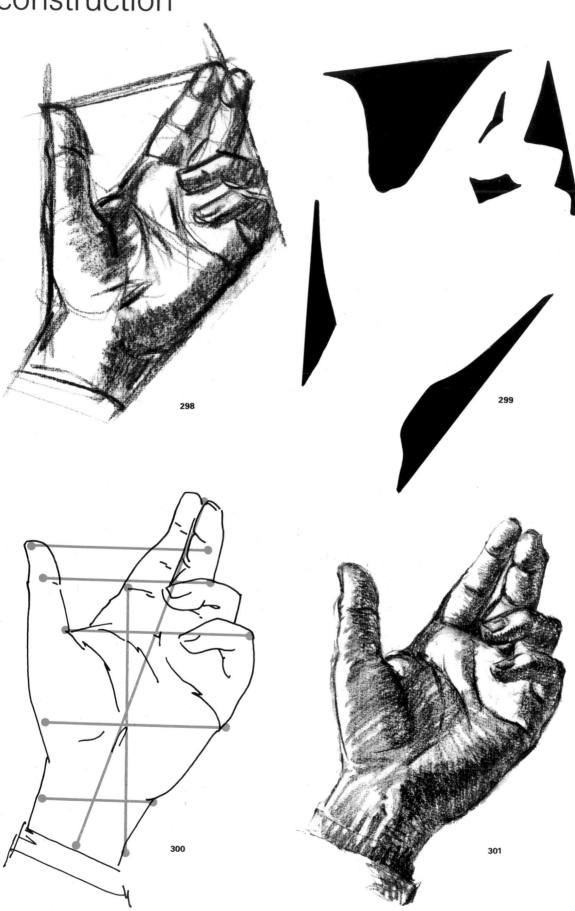

298

299

300

301

CONSTRUCTION DU DES
SIN DE VOTRE MAIN GAU
CHE

Je vous invite à réaliser ici u
exercice qui vous permett
d'étudier et comprendre c
que sont la forme, le volum
l'ombre et la lumière, ain
que la recherche des valeu
et des tons. Vous pouvez l
faire sur une feuille de dess
à grain régulier, avec un cra
yon à papier à mine tendr
un 2B par exemple. Place
votre main gauche dans
position que vous voyez c
contre, ou dans une aut
analogue.

Fig. 298.— Essayez d'enfe
mer cette main dans un «ca
dre», en tirant des traits o
des lignes droites coïncidan
avec son contour général.
s'agit là, comme vous le sa
vez, de «l'encadrement
dont la justesse conditionne
en principe, la reproductio
correcte du modèle.

Fig. 299.— Pour évaluer le
dimensions et proportions d
vos doigts, de votre pouce
de votre main, essayez d
voir le «négatif» du modèle
c'est-à-dire les parties e
creux qui définissent le prof
et la forme de ce «moule
qu'est le modèle.

Fig. 300.— Un autre moye
connu pour calculer propor
tions et dimensions, pou
construire et dessiner, con
siste à imaginer des *référen
ces linéaires,* des lignes hori
zontales qui déterminent de
points et des formes placé
sur cette horizontalité; o
trace également des ligne
verticales ou diagonales qu
permettent aussi de situe
certains points par rapport
d'autres.

Fig. 301.— Vous allez main
tenant tracer une esquisse
rapide de votre main, e
construisant son dessin, pui
en y étudiant les jeux d'om
bre et de lumière, et dans une
certaine mesure les valeurs e
les tons. Il conviendrait tou
tefois, pour ce travail sur la
lumière, les ombres et les
valeurs, de redessiner soi
gneusement votre main à
plus grande échelle, en vue
d'obtenir un résultat identi
que ou analogue au dessin
de la page suivante (fig
302).

lumière, ombre, étude des valeurs

La lumière dessine les corps; l'ombre donne le volume. Lumière et ombre déterminent la forme des corps.

Pour représenter le volume, nous dessinons ou peignons en utilisant soit des tons, soit des couleurs d'intensité ou valeurs différentes; autrement dit nous comparons, évaluons certains tons ou nuances par rapport à d'autres, nous leur donnons une valeur — tel ton est plus clair que tel autre; celui-ci est plus sombre que celui-là. *L'étude des valeurs* constitue, par conséquent, une donnée fondamentale en dessin comme en peinture. Corot disait à Pissarro: «Vous êtes un artiste et n'avez donc pas besoin de conseils; hormis celui-ci: étudiez avant tout les valeurs; celui qui les méconnaît ne pourra jamais faire un bon tableau».

Percevoir les *valeurs* d'un thème exige que l'on s'entraîne à observer, à comparer, pour arriver à saisir les différentes tonalités qui modèlent les corps. Nul besoin d'utiliser des centaines de nuances; du blanc, du noir, et une gamme restreinte de gris permettent à eux seuls de reproduire tout l'éventail des tons qu'offre le modèle. Pour bien comprendre cette question, je vous invite à dessiner votre main gauche avec un crayon à papier à mine tendre, comme le 2B, et à suivre l'exemple que je vous propose ci-dessous. Essayez alors d'étudier, grâce aux commentaires de la figure 302, les éléments qui déterminent le volume des corps.

La main est à coup sûr l'un des modèles les plus difficiles à dessiner; j'espère cependant que les images et les leçons de la page de gauche vous apporteront une aide précieuse.

Fig. 302. Le relief ou volume des corps est rendu par des jeux d'ombre et de lumière, dont il importe de connaître les effets si l'on veut dessiner ou peindre. Nous les définissons ci-dessous:

302

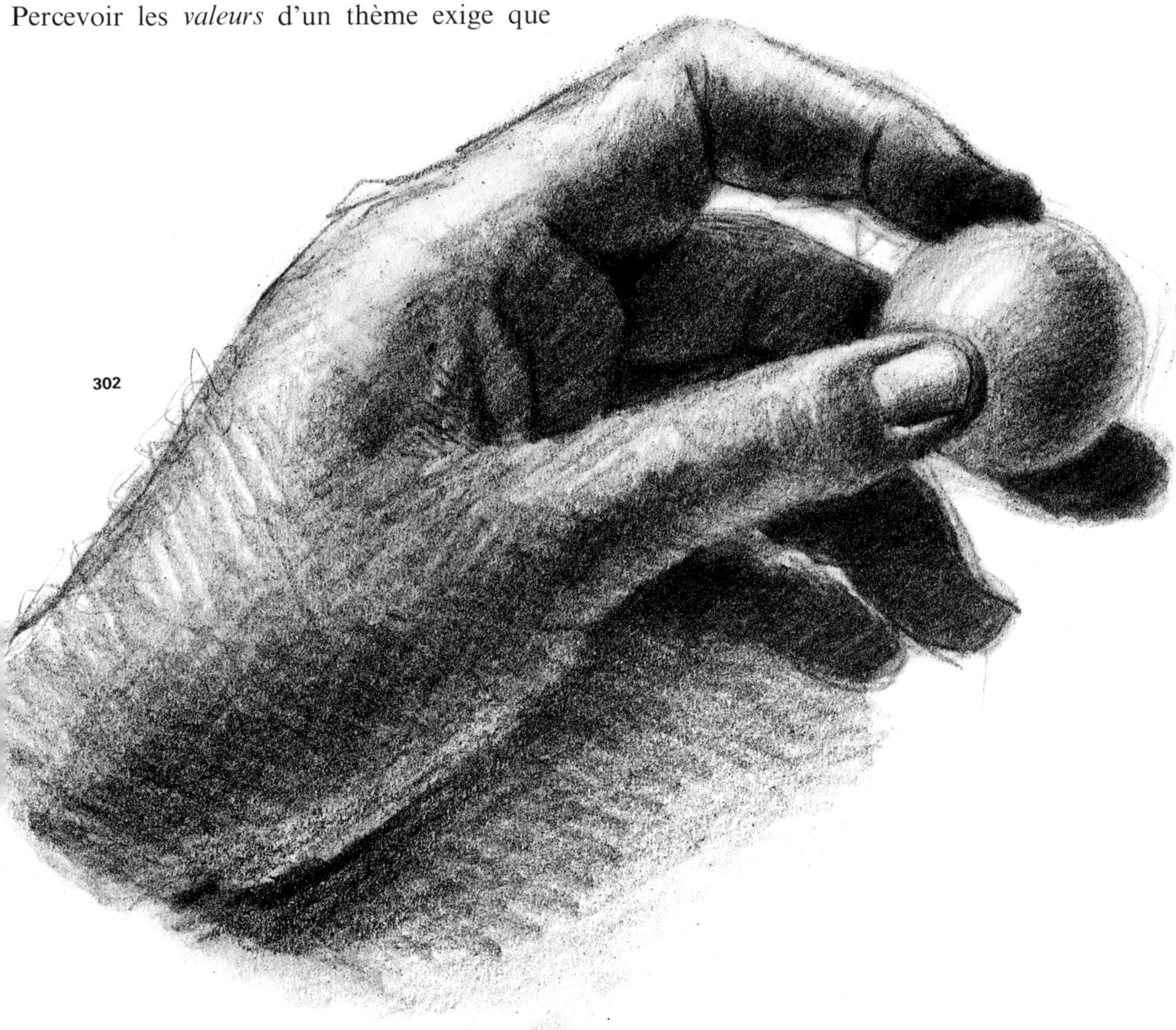

LUMIÈRE: parties éclairées où la couleur est *celle-là même* du modèle.
ÉCLAT: on l'obtient par contraste; n'oubliez jamais qu'«un blanc est d'autant plus éclatant que le ton environnant est sombre.»
«RENFLEMENT»: partie la plus foncée de l'ombre portée; elle se situe entre la pénombre et la lumière réfléchie.
LUMIÈRE RÉFLÉCHIE: elle apparaît à la limite, à l'extrémité de la partie ombrée; elle devient plus intense lorsque, près du modèle, se trouve un corps de couleur claire.
PÉNOMBRE: zone intermédiaire entre la partie éclairée et la zone d'ombre; appelée aussi «clair-obscur», on pourrait la définir comme étant «de la lumière dans l'ombre».
OMBRE PROPREMENT DITE: toute zone d'ombre opposée à la partie éclairée.
OMBRE PORTÉE: c'est l'ombre qui se projette sur la surface où se trouve le corps. En général, elle est plus foncée dans la partie proche du modèle.

Fig. 303.— Une gamme réduite de gris, limitée à cinq ou six tonalités, suffit à représenter toutes les valeurs et tous les tons du modèle.

303

contraste et atmosphère

Valeurs, contraste et atmosphère.

Ces trois facteurs, traités convenablement, permettent de créer sur la toile la troisième dimension, de donner l'illusion du volume. Le contraste est, en outre, un élément essentiel dans l'expression et le message de l'œuvre. Le Greco, sous l'influence de Caravage, accentuait les contrastes afin de dramatiser ses thèmes. Mieux encore: pour séparer ses modèles du fond de la toile et les faire ressortir davantage, il entourait figures et silhouettes d'un dégradé de tons sombres. C'était un authentique *valoriste*.

Dans la peinture moderne, à partir de l'impressionnisme, le contraste s'obtient par des procédés moins agressifs, moins dramatiques: par juxtaposition de couleurs, qui d'elles-mêmes traduisent la forme, sans nécessité de grandes zones d'ombres. Comme dit un jour Pierre Bonnard: «La couleur, à elle seule, est capable de rendre la lumière, de reproduire les formes, d'exprimer un climat pictural». Bonnard était un authentique *coloriste*.

Chez les peintres modernes apparaît, de plus, le souci de représenter l'espace par le biais de premiers plans bien définis s'opposant à des arrière-plans estompés; ainsi créent-ils cet *effet d'atmosphère* que l'on peut apprécier dans *La Loge,* de Renoir (fig. 304).

304

Fig. 305.— Le Greco, *La Résurrection*. Musée du Prado, Madrid. Exemple de contrastes provoquées par la mise en valeur des personnages.

Le Greco fut, à son époque, l'un des artistes soumis à l'influence du «ténébrisme» du célèbre Michelangelo Merisi, plus connu sous le nom de Le Caravage. Ce dernier produisit un style de peinture fondé sur des contrastes saisissants, qui révolutionnèrent l'art baroque. Avant Le Caravage, la lumière était un facteur secondaire. Après lui, lumière, ombres, contrastes, se transformèrent en éléments dynamiques capables d'exprimer et d'expliquer le tableau. Le Greco, donc, accentua les contrastes, souligna les jeux de lumière et d'ombre. Le Vélasquez de la première période subit également l'influence de cette manière.

305

Fig. 304.— Auguste Renoir, *La loge*. Galeries Institut Courtauld, Londres. © by S.P.A.D.E.M., 1983. Exemple de mise en valeur de la profondeur grâce à la netteté du premier plan —silhouette et visage de la femme— par rapport au deuxième plan —silhouette de l'homme, moins précise et moins achevée—.

Fig. 306.— Exemple pratique illustrant notre exposé sur la lumière, l'ombre, les valeurs.

Pour créer une sensation d'espace, le bord de la nappe est flou, estompé.

Pour séparer et distinguer les formes, il convient parfois d'en souligner le contour, ainsi qu'on peut le voir dans ces parties éclairées de la poire et de la jarre.

Contrastes provoqués, lumière réfléchie, «renflement», éclat, ombre proprement-dite et ombre portée... tous les jeux d'ombre et de lumière ressortent à l'évidence dans ce petit grain de raisin.

Remarquez les reflets de la lumière sur la poire, la pomme et la jarre, qui leur donnent du volume tout en soulignant leurs formes. Ils existaient déjà sur le modèle, mais je les ai accentués, surtout sur la poire, afin d'obtenir un plus grand effet plastique.

L'effet de «renflement» apparaît très nettement sur ce pli de la nappe; il contribue à mettre en valeur son volume.

306

perspective parallèle et perspective oblique

Pour peindre une maison, un édifice, une rue, un intérieur, un meuble, un livre, quelques notions de perspective sont nécessaires. Il est toutefois superflu de se plonger dans l'un de ces volumineux ouvrages spécialisés, davantage destinés aux architectes qu'aux artistes peintres. Nous allons donc rappeler ici, en quelques mots, les éléments de perspective indispensables pour la peinture à l'huile.

Il existe, comme vous le savez, trois sortes ou formes de perspective:

1. - La perspective parallèle
avec un point de fuite.

2. - La perspective oblique
avec deux points de fuite.

3. - La perspective aérienne
avec trois points de fuite.

Cette dernière n'étant pas utilisée dans la peinture d'art, nous ne la commenterons pas ici (1).

Le *point* ou *les points de fuite* sont le lieu de convergence des lignes ou arêtes perpendiculaires du modèle. Vous devez vous souvenir également que les points de fuite se trouvent toujours sur la *ligne d'horizon;* celle-ci passe juste à la hauteur des yeux du spectateur quand il regarde de face — comme vous, lorsque vous peignez —, qu'il soit debout, assis ou accroupi.

(1) Pour une étude plus complète et détaillée de la perspective appliquée au dessin et à la peinture d'art, je vous conseille de lire: «Comment dessiner en perspective», dans la collection «Pratique du dessin et de la peinture».

Fig. 307.— Effet de perspective parallèle, avec un seul point de fuite, appliqué à un cube et à une pièce.

Fig. 308.— La perspective oblique présente deux points de fuite. Ici, le point de fuite du côté gauche se trouve à l'extérieur du cadre.

Fig. 309 et 310.— Effets de perspective parallèle et de perspective oblique appliqués à des édifices et à des rues. Remarquez que pour dessiner des personnages en perspective, il faut situer toutes les têtes à hauteur de la ligne d'horizon. Les corps, eux, sont grossis et agrandis selon la distance à laquelle ils se trouvent.

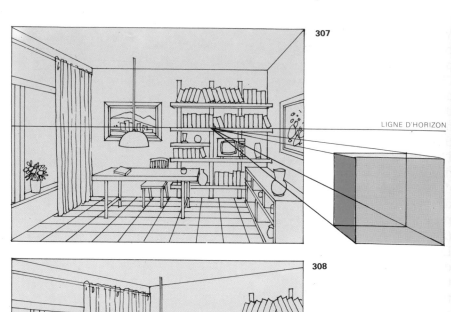

307

LIGNE D'HORIZON

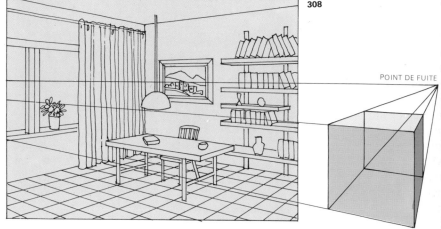

308

POINT DE FUITE

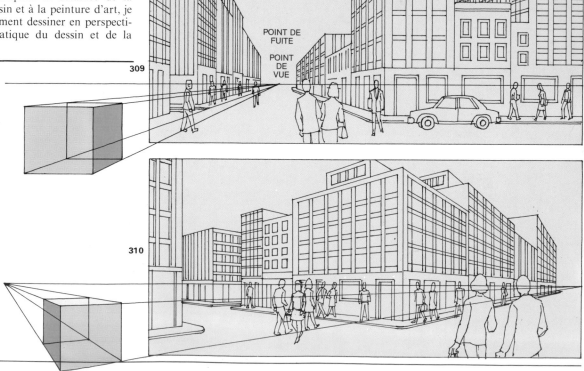

309

POINT DE FUITE

POINT DE VUE

310

Vous savez sans doute aussi que dans la perspective parallèle, le point de fuite et le point principal convergent en un seul point de l'horizon. Il n'en va pas de même dans les cas de perspective oblique et aérienne, où points de fuite et points principaux restent indépendants, bien que toujours situés sur la ligne d'horizon.

Les figures 307 et 309 offrent deux exemples de perspective parallèle, le premier appliqué à un intérieur, le second à une série d'édifices dans une rue. Les figures 308 et 310 vous présentent des cas de perspective oblique (avec deux points de fuite).

Dans la peinture à l'huile, que l'on travaille d'après nature un ensemble de maisons ou tout simplement un paysage urbain, on se trouve souvent confronté au problème de la division des espaces: comment situer dans une perspective correcte des figures répétitives telles que portes, fenêtres, balcons, etc. Pour un peintre confirmé, une question de ce genre ne présente aucune difficulté: il la résout facilement, en dessinant ou en peignant au jugé.

Mais il est bon, à mon avis, de savoir qu'il existe une série de formules mathématiques permettant de confirmer la connaissance pratique. Prenons pour exemple le cas d'un édifice ancien, à l'architecture symétrique, dont il faut calculer le centre de perspective afin de placer convenablement portes et fenêtres. Vous pouvez le faire au jugé, bien sûr; mais si vous suivez la démarche proposée par les figures 311 à 314, le problème sera aisément résolu: tracez une croix en forme de x, puis une verticale au centre pour déterminer le centre de perspective (fig. 312); complétez ensuite le schéma géométrique de la figure 313, qui vous permet de situer dans une perspective correcte les divers éléments de la façade ou du modèle.

Les figures 315 et 316 offrent une solution analogue face à un problème de division des espaces en profondeur, pour la réalisation d'une façade de ferme.

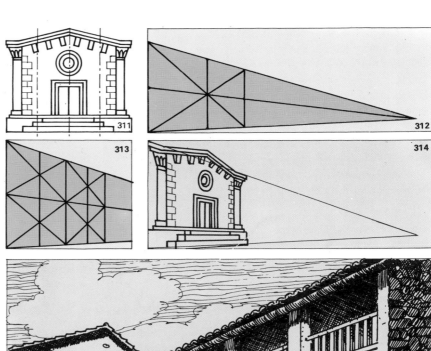

311

313

312

314

315

Fig. 311 a 314. — Pour situer dans une perspective correcte un édifice qui, vu de face, offre une construction ou une architecture symétrique (fig. 311), il suffit de placer en perspective le cadre ou rectangle du modèle et de le diviser ensuite en deux espaces grâce au tracé d'une croix en forme de x.

Fig. 315. — La division des espaces en profondeur et en perspective peut être nécessaire parfois, dans le cas de vieilles maisons ou d'édifices ruraux. Les schémas de la figure 316 ci-contre vous indiquent le processus à suivre.

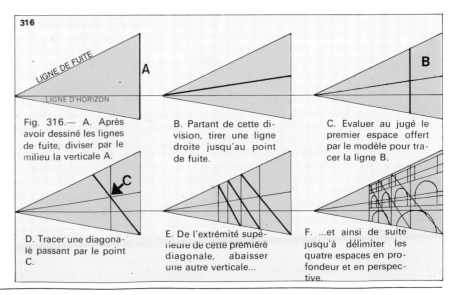

316

LIGNE DE FUITE

LIGNE D'HORIZON

A

B

Fig. 316. — A. Après avoir dessiné les lignes de fuite, diviser par le milieu la verticale A.

B. Partant de cette division, tirer une ligne droite jusqu'au point de fuite.

C. Evaluer au jugé le premier espace offert par le modèle pour tracer la ligne B.

C

D. Tracer une diagonale passant par le point C.

E. De l'extrémité supérieure de cette première diagonale, abaisser une autre verticale...

F. ...et ainsi de suite jusqu'à délimiter les quatre espaces en profondeur et en perspective.

division des espaces: mosaïques et lignes directes d'un dessin

Les schémas A, B, C, de la figure 317 expliquent comment calculer la mise en perspective d'un nombre déterminé d'espaces égaux, à l'intérieur d'un autre espace lui-même défini. Autrement dit: soit dans un espace déterminé A-B, situez en perspective cinq espaces égaux.

Nous présentons en outre l'exécution d'une mosaïque en perspective parallèle (fig. 318), et d'une autre en perspective oblique (fig. 319).

Les figures 320 et 320 A expliquent, pour finir, comment dessiner une série de tracés parallèles en perspective, au cas où le point de fuite se trouve hors du dessin.

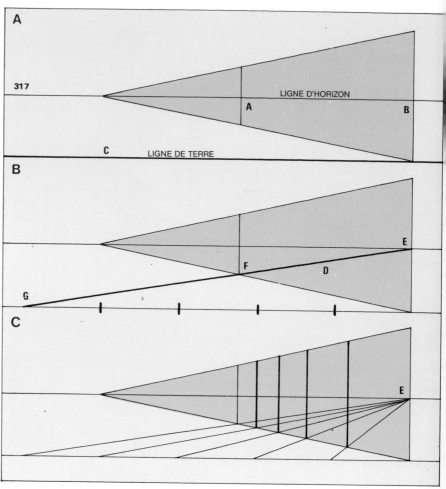

Fig. 317.— Sur la figure 316 précédente, nous avons divisé un espace en toute liberté, sans nous limiter à une mesure précise. Ici, nous partons d'un espace préalablement défini, égal à la distance A-B. Pour diviser cet espace en cinq, par exemple, commençons par tracer une ligne de terre (C), parallèle à la ligne d'horizon et passant par le sommet inférieur du triangle de perspective.

B. Traçons ensuite la ligne D, du point E au point F, en la prolongeant jusqu'à la ligne de terre (point G). Divisons alors la ligne de terre en cinq parties égales.

C. Il suffit maintenant de tracer des diagonales depuis ces subdivisions jusqu'au point E pour obtenir automatiquement la division des espaces en profondeur et en perspective à l'intérieur de la distance donnée.

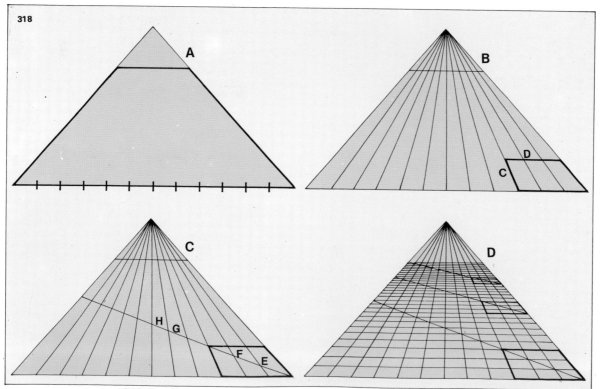

Fig. 318.— Ci-contre le processus à suivre pour dessiner une mosaïque en perspective parallèle. La base de départ se trouve dans le rectangle C D de la figure B, et dans la diagonale de la figure C. Cette ligne détermine les points E F G H, à partir desquels sont tirées les droites horizontales qui complètent la mosaïque en perspective.

Fig. 319.— Exemple de réalisation progressive d'une mosaïque en perspective oblique. Je souhaite que l'étude et la pratique de ces dessins vous aident à les reproduire aisément.

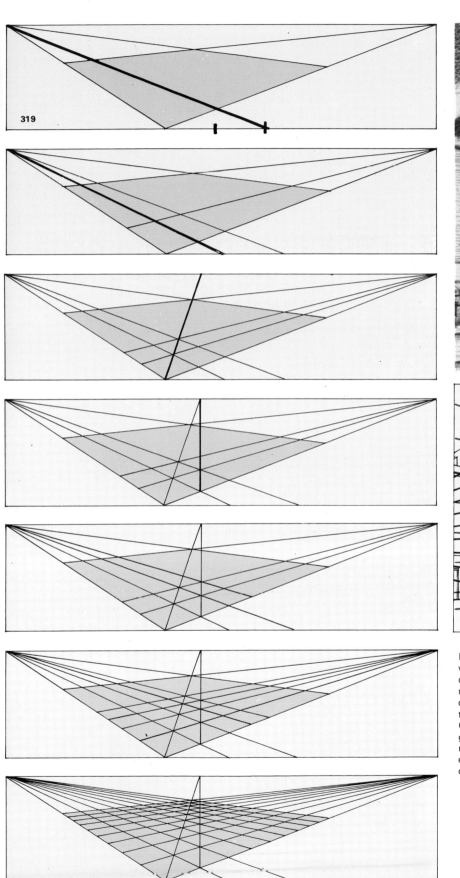

320

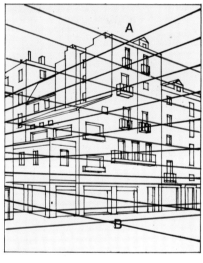

320A

Fig. 320.— L'image 320 A vous indique comment calculer la perspective d'une maison ou d'un édifice lorsque les points de fuite se trouvent hors du cadre. Comme vous le voyez, il s'agit d'évaluer au jugé l'inclinaison des lignes de fuite extrêmes, A et B, puis de diviser en nombre égal chacune des parties latérales. Tracez enfin à main levée une série de lignes de fuite: elles vous permettront de dessiner et de peindre fenêtres, portes, balcons, moulures et saillies de l'édifice. *Les lignes rouges* situent l'ensemble des tracés correspondant à l'autre point de fuite.

le choix du thème

«Jeunes révolutionnaires en colère!» s'exclama un jour Emile Zola à propos de ses amis impressionnistes.

L'impressionnisme, en effet, fut l'une des grandes révoltes contre la décadence dans laquelle était tombé l'«art officiel».

L'un des aspects les plus remarquables de cette révolution réside à coup sûr dans l'abandon de la peinture d'histoire, des «grandes machines», selon le terme consacré alors pour désigner ces grandes toiles aux thèmes choisis, étudiés et préparés dans la plus totale fantaisie, et dont le modèle, idéalisé, n'offrait qu'un lointain rapport avec la réalité (fig. 322). En réaction contre cette peinture traditionnelle, les impressionnistes décidèrent «d'*aller sur le motif*», comme ils disaient, c'est-à-dire de peindre des scènes vivantes, spontanées.

La leçon à tirer est concluante: choisir ou trouver un thème ou un motif ne présente aucune difficulté; il s'en trouve partout, chez vous, dans votre rue, dans la pièce où vous vous trouvez, dans n'importe quel village, ville, jardin, paysage.

«Des thèmes, des motifs! — disait Renoir. Moi, une simple paire de fesses me suffit.» Nous n'irons pas jusque-là. Certes, les impressionnistes ont prouvé leur indifférence au thème traité; certes ils ont peint des sujets aussi triviaux qu'une équipe d'ouvriers au travail dans la rue (fig. 323) ou qu'une paire de vieilles chaussures (fig. 321). Mais il est indéniable qu'auparavant ils avaient *vu* leur motif; ils avaient jugé sa forme et sa couleur dignes d'une toile. Autrement dit, ils avaient analysé une composition formelle et chromatique, et imaginé comment l'interpréter. En réalité, ils *avaient sélectionné leur sujet...* sans se soucier de son contenu, fût-il botte de radis ou bouquet de roses.

Ce choix du sujet dépendait pour eux, et dépend pour vous, de trois facteurs:

1. - Savoir voir.
2. - Savoir composer.
3. - Savoir interpréter.

Fig. 322.— Claude Lorrain, *Paysage avec Céphale et Procis réunis par Diane*, National Gallery, Londres. Jusqu'au milieu du siècle dernier, avant l'apparition de l'impressionnisme, le choix et la composition du sujet se faisaient dans l'atelier de l'artiste, en partant de croquis et d'esquisses dessinés d'après nature; mais le peintre «arrangeait» cette composition en fonction d'une vision idéale qui lui était propre.

322

323

Fig. 321 et 323. — Vincent Van Gogh, *Les Souliers avec lacets*. Musée National Vincent Van Gogh, Amsterdam. Edouard Manet, *Les Paveurs de la rue Mosnier*. National Gallery, Londres. Dépôt de la collection Mrs Butler. Les impressionnistes décidèrent «d'*aller sur le motif*» au lieu de choisir la peinture d'histoire. Ils jugeaient inutile de chercher et de composer un thème, puisqu'ils trouvaient leur inspiration dehors, dans la rue ou dans les objets les plus communs.

321

l'interprétation

Ecoutons Delacroix: «Mes tableaux ne représentent pas tout à fait la réalité; les artistes qui se contentent de reproduire leurs esquisses ne donneront jamais à leur public une impression vivante de la nature».

Il est certain que la reproduction exacte du modèle n'a aucun rapport avec l'art. Les primitifs ne calquaient pas la nature; Titien, Rubens, et même le très classique Raphaël, interprétèrent plus qu'ils ne copièrent; et le travail de mémoire, dont ils n'ont laissé que très peu de croquis, est primordial dans leurs œuvres.

L'interprétation est liée, en principe, à la capacité d'imaginer, d'idéaliser, de «projeter sur la toile les impressions et visions intérieures», comme disait Picasso.

Il faut, et c'est facile, imaginer notre propre tableau, le voir à notre manière. Mais la difficulté consiste à ne pas perdre de vue ce tableau idéal conçu par chaque artiste avant de peindre. En 1943, lors d'une entrevue avec Angèle Lamot, Pierre Bonnard disait: «J'ai essayé de peindre des roses directement, en interprétant à ma façon, mais je me suis laissé influencer par les détails... et j'ai remarqué que je m'enfonçais, que je n'allais nulle part;

que je m'étais perdu; je ne pouvais retrouver mon élan premier, la vision qui m'avait ébloui, mon point de départ». Et Bonnard d'énoncer alors cette leçon magistrale:

«La présence du modèle, du sujet, est une gêne pour l'artiste au travail. Le point de départ d'un tableau est presque toujours une idée; la présence du modèle pendant l'exécution de la toile devient une tentation; l'artiste risque de se laisser emporter par sa vision directe, immédiate, et d'oublier son élan premier... Il en arrive alors à accepter ce qui est fortuit, il peint les détails qu'il a sous les yeux et qui ne l'ont pas intéressé au premier abord!» — Bonnard termine par ces mots: «Très peu de peintres ont su interpréter le modèle à leur façon; si certains y sont parvenus, c'est qu'ils disposaient de méthodes d'autodéfense».

Pierre Bonnard cite alors Paul Cézanne comme l'un de ces rares artistes dotés de «méthodes d'autodéfense»: «Cézanne avait une idée précise de ce qu'il voulait faire, et ne tolérait de la nature que les éléments en rapport avec cette idée; il n'acceptait et ne peignait un modèle qu'en fonction de la vision intérieure qu'il en avait.»

324

Fig. 324.— Paul Cézanne, *La montagne Sainte-Victoire.* Kunsthaus, Zurich. Depuis la fenêtre de sa maison, qui donnait sur la montagne Sainte-Victoire, Cézanne exécuta 55 toiles. Toutes différentes, même si le sujet reste rigoureusement identique. Pourquoi? Sans doute parce que cela représentait pour lui la grande «conquête du modèle», un fait prodigieux que de pouvoir le peindre à son idée, à sa manière, sans se laisser guider par ce que «disait» ce modèle.

règle fondamentale de l'art de la composition

Composer, au départ, c'est créer.

Delacroix dit un jour: «L'esprit compose, c'est-à-dire idéalise et choisit.» Et qu'est-ce donc que créer? Ecoutons encore Delacroix: «Ce que nous appelons création chez les grands artistes, n'est qu'une façon particulière de voir, d'agencer et de reproduire la nature.»

Partant de ces principes, auxquels il est difficile de ne pas souscrire, nous devrions convenir avec John Ruskin que «l'art de la composition n'a pas de règles; si elles existaient, Titien et Véronèse ne seraient que des hommes ordinaires».

Assurément. Mais nous pouvons et devons partir de quelque chose, de certaines normes capables de nous aider à cultiver et à perfectionner cette «façon particulière de voir, d'agencer et de reproduire la nature».

L'une des normes fondamentales de l'art de la composition fut énoncée, voici des siècles, par Platon, qui en quelques mots résuma le travail de composition de l'artiste:

Composer consiste à trouver et à reproduire la diversité dans l'unité.

Diversité dans la forme, la couleur, la position, la situation des éléments du tableau, afin de créer une pluralité de formes et de couleurs. Ainsi pourra-t-on attirer l'attention du spectateur, éveiller son intérêt, l'inciter à regarder pour qu'il goûte enfin tout le plaisir du spectacle et de la contemplation. Cette *diversité*, toutefois, doit éviter de déconcerter et disperser l'attention et l'intérêt initial. Il faut donc qu'elle s'organise à l'intérieur d'un ordre et d'une *unité* d'ensemble, de sorte que les deux éléments se complètent:

L'UNITÉ dans la diversité.
La DIVERSITÉ dans l'unité.

Voici une application graphique et classique de ces deux concepts, accompagnée de schémas et de textes analysant défauts et qualités de chacune des compositions.

325

326

Fig. 325, 326 et 327.— Ci-contre une étude sur l'art de la composition, présentant trois peintures à l'huile. Le commentaire les analyse en fonction de la loi fondamentale selon laquelle il faut *trouver et reproduire l'unité dans la diversité.*

327

Fig. 325.— **MAL**: Excès d'unité. La disposition manque d'originalité et engendre la monotonie. Remarquez l'horizon qui coupe le tableau en deux, le compotier et les fruits qui forment un seul bloc, etc.

Fig. 326.— **MAL**: Excès de diversité. Les objets sont dispersés, attirent l'oeil séparément, n'invitent pas à une contemplation logique de l'ensemble.

Fig. 327.— **BIEN**: Bon exemple d'*unité dans la diversité.* Il suffit de comparer cette composition aux précédentes pour constater qu'il existe ici *unité*, de par l'ordonnance des éléments, et *diversité*, de par leur disposition.

une forme classique

Au moment où l'on prend son pinceau, devant la toile vierge, ou même encore avant, lorsqu'idée et sujet ayant pris corps on essaie d'en faire une esquisse ou un croquis, voici que se pose l'important problème de la composition. Nous pouvons le résumer sous forme de deux questions: 1°) Dois-je «m'approcher» du sujet et le grossir comme si je me trouvais tout près de lui, ou bien est-il préférable de le cadrer «de loin» pour réduire les proportions du motif principal et donner plus de fond? 2°) Quelle est la situation idéale pour placer l'élément principal du tableau?

Il n'existe, bien sûr, aucune norme absolue. On peut cependant proposer, pour résoudre ces questions — proportion et cadrage —, les deux règles suivantes:

1. - «Approchez-vous» du sujet jusqu'à ce que vous obteniez un centre d'intérêt susceptible «d'expliquer» le contenu du tableau.

La seconde norme, qui concerne la situation des formes dans le tableau, est contenue dans une loi d'esthétique célèbre, découverte par Vitruve, architecte romain de l'époque d'Auguste:

2. - La loi du nombre d'or.

Reportez-vous à l'encadré ci-contre, et au commentaire du tableau de Vélasquez, *L'adoration des Mages* (fig. 328).

Loi du nombre d'or

Face à la toile vierge, où situer le motif principal du tableau? Au centre, en haut, en bas, à droite, à gauche? Pour résoudre ce problème, l'architecte romain Vitruve établit la règle suivante, dite:

Loi du nombre d'or
Un espace divisé en parties inégales est harmonieux et esthétique quand la partie la plus petite et la partie la plus grande gardent entre elles la même proportion que la plus grande avec le tout.

Pour trouver cette division idéale, il suffit de multiplier la largeur ou la hauteur de la toile par le facteur 0,618.

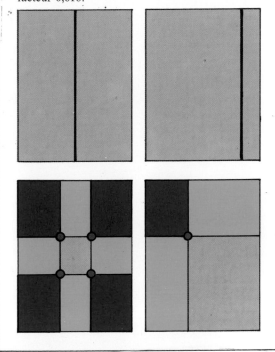

329

328

Fig. 328.— Vélasquez, *L'adoration des Mages.* Musée du Prado, Madrid. Est-ce un simple hasard si la tête de l'enfant Jésus se trouve exactement à l'intersection des lignes du nombre d'or? On peut affirmer sans se tromper que l'artiste a choisi et déterminé ce point en fonction de ladite loi.

Fig. 330.— Vélasquez, *Saint Antoine abbé et saint Paul ermite.* Musée du Prado, Madrid. Fortuite aussi cette quasi-coïncidence entre l'oiseau porteur de pain et le point du nombre d'or.

330

symétrie, asymétrie

Symétrie est synonyme d'*unité:* elle exprime à elle seule ordre, solennité, autorité. «La symétrie est l'ordre qui se manifeste dans la vie chaque fois que l'on a besoin de solennité dit Böcklin, qui ajoute: toute cérémonie publique ou religieuse implique une certaine symétrie chez les participants».

Si nous voulions définir la composition symétrique, nous dirions qu'elle est *la répétition des éléments du tableau de chaque côté d'un point ou axe central.*

L'asymétrie, pour sa part, en tant que *distribution libre et intuitive des éléments, dans le respect toutefois de l'équilibre entre les différentes parties,* est synonyme de *diversité.* Face au choix à effectuer entre ces deux formes de composition, la plupart des artistes modernes préfèrent la composition asymétrique, plus dynamique et offrant plus de champ à la créativité. Cependant il ne faut pas exclure, dans certains cas et pour certains thèmes, l'utilisation de la composition symétrique, même dans sa rigidité; elle permet tout à la fois, si l'on sait modifier les situations, d'accentuer l'unité de l'ensemble et d'obtenir la diversité souhaitée.

Fig. 331, 332. — Vélasquez, *Le couronnement de la Vierge.* Musée du Prado, Madrid et Degas, *L'absinthe.* Musée du Jeu de Paume, Louvre, Paris. Le tableau de Vélasquez offre un exemple de composition symétrique, même si les figures ne se situent pas, mathématiquement parlant, «de chaque côté d'un axe central». Degas, dans *L'absinthe,* fait une belle démonstration de composition informelle: les personnages sont décentrés; et le cadrage coupe même la silhouette de l'homme.

331

332

schémas et équilibre

Selon la loi du moindre effort, qui en art pourrait se traduire par la sentence: «plus de plaisir et moins de difficultés», l'homme préfère les formes géométriques (une silhouette en forme de carré, de cercle, de triangle) aux formes abstraites. Le psychophysicien Fischer réalisa à ce sujet un sondage prouvant que la plupart des gens préfèrent ce type de formes simples.

D'où l'idée d'une composition fondée sur les formes ou schémas géométriques de base tels qu'on peut les voir sur cette page (fig. 333). Le premier, établi par Rembrandt, constitue une formule de composition classique: une diagonale divise le tableau en deux triangles. Dans la composition, joue également un rôle essentiel *l'équilibre des masses*, c'est-à-dire le fait de compenser le «poids» des formes par un axe décentré qui équilibre les masses entre elles. La balance romaine donne un exemple parfait de cet équilibre entre une certaine masse et une autre plus réduite, par rapport à un axe décentré.

Fig. 333.— La composition d'un tableau peut se fonder sur des schémas géométriques, comme nous le voyons dans ces exemples. Le premier, en forme de triangle, est connu sous le nom de formule de Rembrandt.

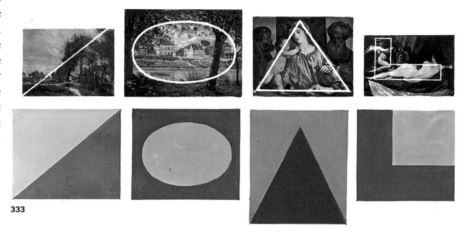

333

Fig. 334, 335.— Pissarro, *La Seine à Marly*. Collection particulière. Exemple de composition s'appuyant sur un schéma géométrique analogue à la formule de Rembrandt, où nous pouvons admirer en outre le parfait *équilibre des masses* obtenu par Pissarro.

334

335

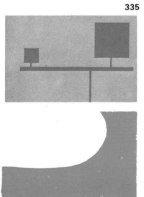

la troisième dimension

En termes de physique, une toile n'a que deux dimensions: la largeur et la hauteur. La troisième dimension, *la profondeur*, l'artiste doit la reproduire, la représenter au moyen de formes, de lumières, d'ombres, et d'effets de perspective. Représenter la troisième dimension fait partie de l'art de la composition.

Pour mettre en valeur la profondeur, le peintre dispose de trois formules essentielles:

A) *Insertion d'un premier plan*. Il s'agit de choisir un sujet permettant d'introduire au premier plan une forme connue, grâce à laquelle on pourra d'instinct établir un rapport entre sa taille et ses dimensions, et celles des corps situés sur les plans plus éloignés.

Le tableau de Pissarro, *Dulwich College* (fig. 336), fait apparaître un tronc d'arbre au premier plan; on distingue en outre la largeur et les rives du fleuve. Ces éléments nous servent de référence, par leur taille et leur situation, et permettent de déterminer mentalement la distance et les dimensions de l'édifice du fond; ils aident à créer l'effet de profondeur.

B) *Effet de perspective*. Dans ce cas, il faut choisir un sujet enfermant un effet de perspective qui mette en valeur la profondeur, l'idée de troisième dimension.

Dans *Le Pont Neuf* de Pissarro (fig. 337), l'idée de perspective, et par là même, de profondeur, est déjà implicite. Pensez également aux sentiers, chemins, entrées de villages, etc., où cette notion, parfois moins évidente, demeure tout aussi effective.

C) *Superposition de plans successifs*. Lorsqu'un modèle offre un premier plan superposé à un deuxième, lui-même superposé à un troisième (voir fig. 338 ci-contre), il suffit d'accentuer cette superposition pour représenter la troisième dimension.

La perspective aérienne, ou atmosphérique, peut également mettre en valeur la profondeur; il convient alors de ne pas oublier que *le premier plan est toujours plus net et plus contrasté que les autres*. Léonard de Vinci disait à ce propos: «Si l'on peint avec minutie les objets reculés, au lieu de lointains ils nous sembleront proches».

Fig. 336.— Pissarro, *Dulwich College*. Collection J. A. Macaulay, Winnipeg, Canada. La troisième dimension s'obtient ici grâce à l'insertion d'un premier plan bien détaché (le tronc d'arbre, à droite).

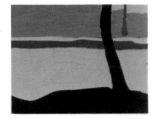

336

Fig. 337.— Pissarro, *Le Pont Neuf*. Collection M. et Mme William Coxe Wright, Philadelphie. La profondeur naît dans ce tableau de l'effet de perspective des lignes de fuite.

337

338

Fig. 338.— Monet, *Église de Vétheuil, neige*. Musée du Jeu de Paume, Louvre, Paris. © by S.A.D.E.M., 1983. Cas de superposition créant la profondeur: observez la succession des différents plans formés par le fleuve gelé, les arbres et les maisons du fond.

la peinture
à l'huile
dans la
pratique

comment peindre une figure

Nous abordons maintenant une série d'exercices pratiques et de démonstrations vous permettant de suivre, pas à pas, la réalisation de plusieurs œuvres: deux tableaux de figure à l'huile, un paysage urbain, une marine, un paysage et une nature morte.

La première de ces démonstrations graphiques — deux tableaux de figure à l'huile — est due au célèbre peintre catalan Badía Camps. L'atelier du peintre se situe à son domicile; il s'agit d'un local de 3×4 m environ; il peint à la lumière naturelle, avec un modèle, et dessine chaque jour au fusain ou à la craie de couleur Sienne ou sanguine, prend des notes, réalise des études de poses, d'éclairage, de contraste, qui donneront parfois des projets en couleur et même de vrais tableaux.

Nous allons étudier soigneusement, dans le détail, la manière de Badía Camps et quels procédés il utilise pour atteindre une telle perfection.

«Je possède des milliers d'esquisses et de notes de ce genre, me disait-il, en me montrant les croquis des figures 339 et 340. Si tu me demandais un conseil sur la manière de peindre une figure, je te répondrais qu'il faut dessiner, encore et toujours, d'après nature, avec un modèle, prendre des notes, multiplier études, croquis d'hommes et de femmes, habillés ou nus, jour après jour, jusqu'à ce que dimensions, proportions, anatomie, valeurs et contrastes du corps humain te soient devenus aussi familiers que le simple fait de prendre un crayon ou un pinceau.»

Pour le tableau qui s'ébauche ici sous nos yeux, Badía Camps a, suivant son habitude, réalisé jusqu'à cinq croquis; il a choisi le dernier (fig. 340) pour y tracer, comme il le fait toujours, le rectangle qui servira de cadre définitif au thème.

Premier état: construction

Sur la toile vierge, Badía Camps dessine directement le thème au pinceau et à la peinture à l'huile allongée d'essence de térébenthine. La couleur de base est un violet de cobalt clair, auquel il ajoute un peu de bleu de cobalt, de Sienne naturelle et de blanc (fig. 341). Badía Camps, à l'imitation des maîtres du passé, élabore à grands traits la construction du thème, choisit la tonalité dominante et indique les principaux effets d'ombre et de lumière. Toujours dans cette teinte violet-bleu-Sienne, semblable à une couleur d'ombre neutre... Remarquez cette construction

339

340

Fig. 339-340. — Avant de commencer un tableau de figure à l'huile, Badía Camps exécute plusieurs esquisses et dessine enfin le cadre.

très soignée, comme s'il s'agissait — et il s'agit en effet — de l'ébauche finale de l'œuvre.

Second état: réalisation du «lit de peinture» et accord général des tons

La manière dont Badía Camps entreprend son tableau me rappelle le fameux «lit de peinture» de Titien. Badía Camps utilise, en effet, un empâtement très épais au départ; comme Titien, il éprouve le besoin de prendre et de reprendre ce fond. Ainsi, au bout de deux ou trois jours, après avoir peint ce «lit», au moment où la pâte présente assez de mordant, il se remet au travail avec acharnement — «Je dois insister, et travailler et me battre, jusqu'à ce que j'éprouve l'émotion de peindre et me sente capable de créer».

Fig. 341.— En mélangeant du violet de cobalt clair et une petite quantité de bleu de cobalt et de Sienne naturelle, allongés d'essence de térébenthine, Badía Camps dessine et construit le thème dans des tonalités transparentes, comme s'il peignait à l'aquarelle.

Fig. 342.— Première phase du «lit de la peinture», ou fond, sur lequel l'artiste va travailler avec acharnement «jusqu'à ce qu'il éprouve l'émotion de peindre et se sente capable de créer».

342

comment peindre une figure

343

Observez attentivement l'état du tableau à l'issue de ce second stade d'exécution (fig. 342); il s'ajuste, pour l'essentiel, au dessin initial, mais présente toutefois quelques légères variantes — la dimension de la tête est plus importante, par exemple; observez également la gamme de couleurs chaudes, présente au stade initial et conservée jusqu'à l'achèvement de l'œuvre.

Dernier état
Badía Camps exige cinq, six et jusqu'à dix séances de travail pour peindre un tableau. Après la deuxième ou la troisième séance, lorsque la couche de peinture est assez épaisse, à demi sèche, collante, il se remet à l'œuvre dans un style personnel qu'il décrit lui-même en ces termes: «Pour peindre à ma manière, il me faut une pâte épaisse, un lit, un pain de peinture, sur lequel je puisse appliquer des frottis de couleurs, étaler la pâte en couches superposées, sur peinture sèche ou demi-sèche». Technique identique ou très semblable à celle pratiquée par Titien et Rembrandt.

Le perfectionnisme de Badía Camps
Il met dix, quinze jours ou même davantage pour terminer un tableau. Il ne s'avoue jamais satisfait; c'est un perfectionniste. Il est allé jusqu'à retoucher et modifier des toiles déjà présentées à des expositions.

Figs. 343.— La mise en pratique du frottis, dont nous avons traité à propos des techniques de Titien et Rembrandt, est nettement visible dans cette reproduction du tableau achevé.

344

345

Il peint d'ordinaire trois ou quatre tableaux à la fois. L'œuvre précédente et la suivante ont été réalisées en même temps.

Etudes préliminaires

Comme toujours, le peintre se livre à une étude préalable de l'œuvre et réalise plusieurs croquis.

A travers ces illustrations (fig. 344 et 345) l'évolution de l'œuvre est parfaitement sensible; il est parti d'une figure de femme assise presque de profil, à côté d'une porte-fenêtre entrouverte, pour aboutir à une deuxième étude présentant le même personnage vu de trois quarts, près d'une porte-fenêtre largement ouverte, dont la vitre reflète en partie le corps de la femme. Dans la deuxième esquisse, les lignes sont, en outre, beaucoup plus accusées, grâce à cette tache sombre située à gauche, entre la nappe et le bras droit du modèle.

Le souci du *travail bien fait*, le perfectionnisme de Badía Camps, transparaissent dans ces études, en particulier figure 345, qui est un excellent croquis, tout à fait digne d'être encadré.

Au moment de peindre, reportez-vous à l'encadré ci-contre où figurent les couleurs à l'huile couramment utilisées par Badía Camps.

Fig. 344 et 345.— Dans ces deux esquisses préliminaires du tableau reproduit plus loin, Badía Camps étudie ou rectifie peu à peu la pose du modèle et le point de vue (sur le croquis de droite, la porte la plus proche du balcon est ouverte, laissant entrevoir la persienne du deuxième plan et la lumière extérieure).

COULEURS UTILISÉES PAR LE PEINTRE BADÍA CAMPS

Blanc de titane	Carmin de laque
Jaune de cadmium	Carmin de garance
Ocre jaune	Vert émeraude
Sienne naturelle	Vert de cinabre
Sienne brûlée	Violet clair
Terre d'ombre	Bleu de cobalt clair
Rouge de cadmium	Bleu de Prusse

comment peindre une figure

346

Premier état: construction

Mélanges de couleurs identiques à ceux de la construction du tableau précédent.

Observez toutefois un point sur lequel je ne me suis pas arrêté plus tôt. Badía Camps dessine soigneusement les lignes de construction du tableau, dans le souci d'*ajuster, de cerner, de délimiter formes et contours*. Alors qu'...

Deuxième état: accord général des tons

...ici, lignes et contours s'effacent — «moi, je peins des volumes», dit Badía Camps. Ici commence à s'élaborer le «lit de peinture» qui lui offrira, pendant une ou deux séances de travail, l'occasion de peindre des frottis et de personnaliser son style. L'artiste prend alors sa toile à bras le corps pour tâcher d'obtenir une unité d'ensemble entre la figure et son contexte, de sorte qu'elle ne constitue pas un élément isolé, parfaitement étranger au cadre environnant. «Je ne peins pas des figures, sinon je peindrais un fond neutre; je peins *un thème dans lequel s'insère une figure.*» D'où les efforts déployés par l'artiste pour que la figure s'harmonise parfaitement au climat intime de la pièce et que celle-ci s'intègre également au tableau.

A ce stade de l'œuvre, commence aussi le travail acharné du peintre pour ajuster et harmoniser les tons. «Quand je commence un tableau, la plupart du temps, je ne sais pas

347

très bien quelle gamme de couleurs je vais choisir. Parfois, comme dans le cas présent, je commence dans une gamme neutre, plutôt chaude (fig. 347) et puis, à mesure que le tableau avance, je me décide pour une autre, plus froide (fig. 348). C'est presque toujours la gamme de couleurs dont je dispose sur ma palette qui détermine mon choix. Les traces de peinture encore visibles sur la palette sont une source constante d'inspiration.»

Fig. 348.— Badía Camps travaille maintenant sur un «lit de peinture» épais, solide, qui lui permet de peindre couleurs et formes au moyen de frottis composés d'une peinture onctueuse, telle qu'elle se présente au sortir du tube, et qu'il applique ensuite sur la toile par touches légères ou plus appuyées. Etudiez cette facture, visible en certains points précis du tableau: visage, chevelure, blouse, reflets de lumière sur la persienne du fond. Si vous comparez l'accord général des tons avec celui de la phase précédente (fig. 347), vous remarquerez que la couleur tire maintenant davantage sur le bleu, est plus froide, les contrastes plus marqués, ce qui met la figure en valeur.

348

Avant-dernier et dernier état

Entre cet avant-dernier état du tableau (fig. 348, ci-dessus) et l'état final (fig. 349, page suivante), les différences sont infimes, elles méritent toutefois d'être soulignées. Le tableau semble ici pratiquement achevé: les traits du visage, les mains et les pieds ne subiront pas de modifications... Et cependant, la plupart des formes, effets d'ombre et de lumière, reflets et dégradés de couleurs, seront repeints ou à nouveau retouchés, dans cette quête de perfection, ce souci de la touche finale, propres à Badía Camps. «Sans aller trop loin, bien sûr; le grand problème consiste à obtenir un fini *qui ne soit pas achevé.»*

Merci, Badía Camps, pour cette remarque judicieuse.

comment peindre une figure

349

comment peindre un paysage urbain

Peindre dans la rue, sur les places et les avenues des villes, dans de petits villages ou d'autres plus importants, dans les faubourgs, les zones industrielles, en un mot, peindre des *paysages urbains,* est une expérience merveilleuse. Il s'agit là d'un thème classique, traité pour la première fois à la Renaissance et que, depuis lors et en particulier depuis la seconde moitié du XIXe siècle, de nombreux artistes ont représenté avec succès sur leurs toiles. Rappelons-nous certains impressionnistes, tels Pissarro, Manet, Sisley, Monet, Guillaumin, tous spécialistes du paysage urbain.
Je vais réaliser pour vous la peinture à l'huile d'un paysage urbain et vous expliquer en détail, pas à pas, le processus à suivre.
Le cadre choisi sera le suivant: une vue d'un vieux quartier de Barcelone, à onze heures du matin, moment où la lumière du soleil «pénètre» dans la rue. Prenez-y garde, car il s'agit là d'un type classique d'éclairage de rue: un côté plongé dans l'ombre, l'autre illuminé de soleil.

Premier état

Je peins sur une toile montée sur un *châssis figure n° 12.*
Pour dessiner cette première ébauche, j'utilise un pinceau en soies de porc, rond, du numéro 10. Je prépare la couleur destinée à la construction initiale. Sur la palette, je mélange bleu de Prusse, terre d'ombre naturelle et ocre, dilués largement à l'essence de térébenthine, pour obtenir une peinture presque liquide, transparente, comme s'il s'agissait de peindre à l'aquarelle.
Je dessine à grands traits les lignes principales des maisons, des fenêtres et des portes, et même quelques silhouettes. Vous pouvez voir cette première ébauche sur la figure 350.

Deuxième état

Me souvenant de Corot et de la *loi des contrastes successifs,* je commence par indiquer les ombres à l'aide d'une peinture plutôt fluide et m'efforce de rendre le plus fidèlement possible toutes les nuances du modèle — une gamme de bleus foncés où domine le bleu de Prusse, combinés à un carmin de garance, de la terre de Sienne naturelle et de l'ocre; une couleur l'emportant sur une autre, suivant les surfaces (voir fig. 351, ci-contre). Je peins tranquillement, sans me soucier d'une erreur éventuelle que je pourrais toujours corriger par la suite, à mesure que le tableau avancera.

350

Fig. 350.— Premier état: esquisse préalable réalisée avec du bleu de Prusse et de la terre d'ombre naturelle, très allongés d'essence de térébenthine, donnant cette teinte transparente qui convient parfaitement à un croquis rapidement enlevé et comparable à l'aquarelle.

Fig. 351.— «Par où commencez-vous vos tableaux, maître? demanda-t-on un jour à Corot. Et celui-ci de répondre sur le champ: par les ombres». Les ombres créent en effet le volume, définissent le modèle, jouent sur la composition, soulignent le contraste du tableau, ce qui permet d'éviter de futures erreurs d'optique, selon la *loi des contrastes successifs.*

351

comment peindre un paysage urbain

Troisième état

Je commence par peindre la façade de la maison d'en face, en songeant avant tout à diversifier la couleur de ce mur, grâce à des ocres, des jaunes, des carmins et des Siennes, presque toujours avec un peu de bleu, mêlés à du blanc. Parfois, je mélange la couleur directement sur la toile, à la recherche de variantes susceptibles de rendre plus harmonieuse et plus vraie l'apparence de ce mur si proche.

Je peins ensuite le mur latéral, la maison du fond, le sol et les stores.

Je m'efforce, tout au long de ce travail, d'enrichir les nuances, de cerner la couleur réelle et la forme définitive. J'ai utilisé des pinceaux en soies de porc plats n° 14, 16 et 18.

Quatrième état

Je peins le ciel et les nuages en gardant à l'esprit deux notions essentielles:

1 - Le ciel n'est pas exactement bleu.

2 - A l'horizon, le ciel est presque toujours plus clair.

Pour rendre la couleur du ciel, il faut donc employer du bleu de Prusse, ou du bleu outremer, suivant le lieu où l'on peint, l'heure de la journée, la limpidité du ciel, etc. Mais, outre ces bleus différents, dégradés de blanc, il faut incorporer au mélange du carmin de garance, éventuellement de la terre de Sienne naturelle (à très faible dose), pour représenter la partie la plus foncée qui se trouve au zénith. Sur la ligne d'horizon, là où le ciel est plus clair, on peut ajouter une pointe de jaune, de rouge de cadmium ou de vert émeraude (suivant l'heure de la journée). Le coup de pinceau ne doit pas nécessairement être horizontal. La meilleure solution consiste à peindre «par petites touches» à la manière de Pissarro.

Pour les nuages, en revanche, lorsqu'il s'agit de cumulus, et c'est ici le cas, la touche de pinceau doit être circulaire, suivant, en quelque sorte, la forme sphérique du modèle. Pour rendre les dégradés d'ombres et de lumières, vous pouvez utiliser vos doigts, sans excès toutefois.

Je continue par les maisons situées dans l'ombre du côté droit. J'utilise surtout le bleu de Prusse, le bleu outremer foncé, l'ocre, le carmin de garance, la terre de Sienne naturelle et le vert émeraude, qui donnent déjà leur forme définitive aux contours de certaines maisons.

Fig. 352.— Avant tout «couvrir» la toile: peindre dans la gamme de couleurs la plus exacte possible, le plus grand espace possible, afin de neutraliser les effets de faux contrastes.

Fig. 353.— Après avoir «couvert» la toile, il faut poser d'autres couches de peinture, construire, ajuster formes et couleurs. Observez, par exemple, sur cette illustration, la manière de rendre les contours et les valeurs de tons des maisons situées dans l'ombre, du côté droit. Assez réussi, qu'en dites-vous? Et en quatre coups de pinceau sur un fond solide peint lors de la séance précédente (fig. 352).

352   353

Fig. 354.— Stade d'exécution de l'œuvre m'ayant coûté le plus d'efforts. En premier lieu, j'ai peint cette espèce de boutique à gauche; simple *dessin en couleurs,* sans plus. Puis je rectifiai l'effet de perspective du côté gauche de la rue, car, si vous regardez la figure 353 précédente, vous constaterez que la ligne de fuite de la partie supérieure (celle des toits en terrasse) n'était pas suffisamment marquée et devait plonger davantage. Puis je fermai à demi les yeux pour observer cette ombre allongée qui se projette vers le haut, sur le côté gauche de la rue, et je peignis enfin toutes ces taches englobant fenêtres, balcons, linge étendu, etc.,— sans oublier un réverbère à quatre lampes.

354

Cinquième état

J'attaque alors cette espèce de boutique située à gauche. La base de couleur appliquée la veille, fortement allongée de térébenthine, me permet de travailler maintenant sur une couche de peinture sèche. Je peins ensuite le mur latéral de la maison d'en face, baigné de soleil, et cette ombre allongée de haut en bas que projettent les maisons de droite. Peindre cette ombre portée et tout ce qui se fond en elle, voilà qui n'est pas chose aisée. On y trouve une multitude de formes telles que saillies, balcons, linge étendu et même ce réverbère planté en plein milieu de la rue. De sorte qu'on ne pouvait regarder le modèle qu'en clignant des yeux et que seule une série de taches, se substituant à la vision détaillée, pouvait rendre toute la complexité des formes.

Il fallait aussi créer une sensation d'espace, en soulignant l'absence de contraste et de précision.

comment peindre un paysage urbain

Fig. 355.— Il restait peu à faire pour terminer le tableau: la façade de la maison du milieu, le sol et, en particulier, le trottoir du premier plan gauche, le profil des maisons situées dans l'ombre, à droite et les silhouettes.

J'insiste sur l'importance de la construction préalable, lignes directrices et base de couleur s'ajustant le plus possible au modèle, afin de permettre par la suite de déterminer plus aisément formes et valeurs définitives. Voyez, par exemple, ce profil des maisons situées dans l'ombre, à droite du tableau. Si vous étudiez le processus suivi depuis la figure 352, au troisième stade de l'œuvre, jusqu'à son achèvement (ci-contre), vous constaterez qu'on ne distinguait tout d'abord qu'une tache colorée, un fond uniforme (fig. 352) auquel vinrent s'ajouter quelques simples touches de couleur (fig. 353); enfin, à ce stade ultime, il m'a suffi d'affiner la construction et de poser quelques autres couleurs pour obtenir le résultat final. Il s'agit là d'un problème de synthèse que je vous propose d'analyser à travers l'évolution de ce tableau.

355

Dernier état

Il ne reste plus qu'à poser la touche finale sur la façade du centre, achever le sol et certaines formes de la maison située dans l'ombre, à droite; et il faut ajouter les personnages. Ces derniers devront être construits et peints de mémoire, en s'inspirant du modèle; il convient d'observer la manière dont se déplacent les passants dans la rue, leurs attitudes, les couleurs, les effets d'ombre et de lumière qui leur sont propres. J'apporte tous mes soins à cette mise en place, mais j'évite une qualité de fini trop académique, peu conforme à la facture générale de l'oeuvre.

Et j'ai terminé.

Avant de signer, et alors que la toile se trouve à l'atelier, il est bon de revoir son œuvre, après quelques heures, et d'étudier la nécessité d'une retouche éventuelle — il en existe toujours.

comment peindre une marine

Autre thème traditionnel qui a inspiré de nombreux artistes du monde entier, et en particulier ceux dont le pays possède un littoral, comme l'Angleterre et l'Espagne, les marines offrent une grande richesse thématique: barques, lamparos, filets et bouées du petit port de pêche; détail d'un grand port de commerce; plages avec silhouettes, houle, barques sur la mer, falaises, etc.

Ce dernier thème, celui d'une falaise d'une plage de la Costa Brava, à Lloret de Mar, fera l'objet d'une démonstration sur la peinture à l'huile d'une marine.

La première fois que je contemplai ce paysage, j'associai aussitôt la forme des rochers à des cubes, parallélépipèdes et pyramides et il me parut indispensable, avant de commencer le tableau, de dessiner des pierres et des rochers offrant ces mêmes formes géométriques. Je vous présente ces différentes esquisses à titre d'exercice préalable.

Premier état

Je commence par ébaucher à grands traits la forme complexe de la falaise, ensemble confus d'arêtes et de rochers.

Sur la palette, j'ai composé un gris bleuté à base de bleu de Prusse mêlé à un peu de terre d'ombre naturelle; je dilue largement ces couleurs avec de l'essence de térébenthine pour obtenir une couleur transparente qui me permettra de brosser rapidement ma toile et d'y tracer des lignes sans m'interrompre. Sur la lancée, et à mesure que se précise le schéma initial, il conviendrait sans doute d'indiquer les ombres principales et de tenter de cerner au plus près la tonalité générale du modèle, tirant tour à tour sur le bleu et sur la terre de Sienne.

J'ai peint les parties linéaires avec un pinceau en soies de porc rond n° 8 et les parties ombrées avec un pinceau plat n° 12.

Deuxième état

Je tenterai, à ce stade d'exécution, de rendre la couleur dominante de la mer et du ciel. J'utiliserai des pinceaux en soies de porc n°ˢ 16 et 18.

Je peins la mer. Elle comporte du bleu de Prusse, du bleu outremer, de la terre d'ombre brûlée et un peu de carmin mêlés à du blanc. Le carmin de garance entre aussi dans cette composition. Règle de base: la touche de pinceau doit être horizontale; mais, en certains points, à cause des courants provoqués

356

Fig. 356.— ...Je contemplai le modèle et ne pus m'empêcher de dessiner cubes, parallélépipèdes, pyramides, évoquant les formes géométriques du modèle.

Fig. 357.— Il s'agit ici d'un dessin approximatif, primaire, destiné à la construction du modèle. La notion de volume me vint presque spontanément, me suggérant aussitôt la distribution des ombres.

357

comment peindre une marine

par le passage de la mer à travers les rochers (premier plan et partie gauche du tableau achevé), la ligne des vagues qui déferlent sur le rivage est en diagonale. Il faut donc modifier la direction du pinceau. Hormis les premiers plans, où la mer est la plus sombre, le blanc intervient toujours pour éclaircir le bleu: mais en faible quantité.

Troisième état

Il s'agit d'un tableau qui, pour être mené à bien, nécessite plusieurs séances d'exécution, suivant la technique de *peinture par étapes*.
Ce thème difficile, exigeant une construction très élaborée, oblige à peindre par couches successives, afin de rendre les volumes et les formes complexes des rochers, des vagues et de l'écume. Pour peindre les parties éclairées de la pierre, il me faut donc une peinture légère, à base de térébenthine qui séchera très vite, et sur laquelle je repasserai le lendemain

358

359

Fig. 358 et 359.— Les deux états de cette marine peinte à l'huile sont l'illustration graphique de la manière dont il convient de commencer un tableau: *«couvrez le plus vite possible le blanc de la toile»*, telle serait la réponse appropriée. Il faut d'abord tracer les grandes lignes du tableau et colorer les parties ombrées qui créent le volume (fig. 357); puis «couvrir» aussitôt le ciel et la mer (fig. 358); le tableau commence alors à exister et à cerner la réalité; il faut enfin peindre très vite la masse rocheuse —ombres et lumières— à l'aide de peinture allongée d'essence de térébenthine, qui séchera rapidement, permettant alors d'appliquer d'autres couches et de *«commencer vraiment le tableau»* (fig. 359).

360

une seconde couche, avec plus de sûreté et de précision.

Je peins les couleurs de la pierre touchée par la lumière et m'efforce de m'approcher le plus possible des tons exacts du modèle (voir fig. 362 l'œuvre achevée).

Quatrième état
Il s'agit à présent d'achever le dessin et la couleur des masses rocheuses situées au deuxième plan.

Ce thème risque de présenter une certaine monotonie, une tonalité grise assez insipide. Pour le rendre plus vivant et intéressant, il faut savoir interpréter la couleur et diversifier les tons des parties éclairées ou laissées dans l'ombre. C'est ce qui fait l'objet de cette séance de travail. Je m'efforce de peindre sans hâte, de distinguer soigneusement chaque nuance, d'appliquer la couleur à l'aide de pinceaux plats et larges, du n° 12 à 18, pour mener à bien ce travail.

Cinquième état
Je peins le lointain, les deux falaises du fond, à gauche, suivant la méthode de peinture directe, à l'aide de couleurs moins éclatantes que dans la partie centrale, grisant et estompant afin de créer une sensation d'espace, de représenter la distance et l'atmosphère.

Fig. 360.— Le reste n'est qu'une question de *travail bien fait*, reposant sur l'observation attentive du modèle et la copie fidèle des formes et couleurs... liées au souci constant de diversifier et enrichir le coloris, souligner les contrastes, accentuer, analyser soigneusement les valeurs, afin d'améliorer sans cesse son travail. Ici, je me suis surtout appliqué à peindre les rochers du deuxième plan.

comment peindre une marine

361

Sixième et dernier état

Je peins enfin le ciel et la mer.

J'éclaircis la couleur du ciel à gauche et parviens ainsi à souligner les contours des rochers. Je peins quelques nuages à droite, dans un ciel lumineux de printemps.

La couleur de la mer est un mélange de bleu de Prusse, d'outremer et de blanc auxquels viennent s'ajouter à doses variables, terre d'ombre brûlée, carmin de garance, ocre jaune et vert émeraude. L'ocre jaune et la terre d'ombre brûlée mêlés au bleu de Prusse, au bleu outremer et au blanc, produisent un bleu marine cassé plus ou moins soutenu,

suivant la proportion d'ocre et de terre d'ombre brûlée; ce mélange donne la couleur de l'eau.

Pour représenter les vagues et l'écume qu'elles font jaillir en se brisant contre les rochers, il suffit d'observer la mer en mouvement et le déferlement des lames, d'étudier un certain temps formes et couleurs, pour les interpréter ensuite de mémoire.

Enfin, j'ai voulu accentuer les contrastes de formes et de couleur, au premier plan, pour créer un «effet de rapprochement» et une expression plus vivante.

Fig. 361 et 362.— Processus identique à celui décrit dans la figure précédente. Il s'agit ici de peindre la masse rocheuse de l'arrière-plan et de traduire la notion d'espace en grisant, estompant les

362

contours; j'ai peint ensuite les rochers du premier plan qui traduisent mes efforts obstinés pour accuser les contrastes de formes et de couleurs; j'ai ensuite peint le ciel, la mer, la houle et l'écu- me produite par le déferle- ment des vagues contre les rochers: élément du tableau qu'il faut absolument pein- dre de mémoire, après une observation attentive du mo- dèle.

comment peindre un paysage

Un après-midi de septembre, vers cinq heures; à mille mètres d'altitude environ et dans une région de Catalogne, je fus surpris par cet effet de contre-jour. Je décidai de faire une esquisse rapide au crayon à mine de plomb tendre, numéro 5B (fig. 363). Le résultat m'encouragea à faire une pochade à l'huile, sur carton entoilé n° 1, Figure.

L'étude préliminaire d'un thème comportant notes et croquis de couleurs est l'une des tâches habituelles du peintre. Ce croquis rapide lui permet d'identifier le thème et représente l'ébauche d'un motif dont il dégagera plus tard la valeur artistique. Peindre plusieurs fois le même thème est un exercice très profitable, comme le prouvent les essais répétés de grands peintres, tels Cézanne pour la montagne Sainte-Victoire, Manet avec ses cathédrales, et Picasso avec ses séries de «l'artiste et son modèle». Une première note de couleur facilite l'approche de l'œuvre et rend le travail du peintre plus exaltant.

Tel fut mon cas. Je choisis une toile montée sur chassis n° 30, Paysage, et je commençai à peindre.

Premier état (fig. 365)

Comme vous pouvez le constater sur la figure 365, ci-contre, je dessine au fusain dans un style enlevé, mais cependant très élaboré, respectant la construction, les valeurs, les jeux d'ombres et de lumière; dès la première séance de peinture, je le sais, j'effacerai tous ces détails, lignes et nuances, mais toutefois le souvenir de cette étude me servira à construire le tableau.

Deuxième état (fig. 366)

Je commence à peindre. J'essaie de limiter le plus possible le nombre de couleurs destinées à couvrir la toile: vert lumineux du pré, vert foncé des arbres, montagnes du fond, ciel... Je n'ai pas songé à garder quelques branches d'arbre, ni même les deux arbres de droite, maintenant couverts par le ciel et que je devrais donc repeindre sur cette couche de bleu. A ce stade d'exécution, le tableau est traité par grands aplats, dans un style très primaire, mais sur des bases assez solides pour permettre ensuite de peindre en couches successives.

363

364

Fig. 363 et 364.— Il est toujours bon de se livrer à une étude préliminaire du thème, au moyen de quelques esquisses, ou même d'une note de couleur, permettant ainsi de déterminer cadrage, forme, contraste et coloris.

Fig. 365.— Un paysage comme celui-ci, dans lequel forme et couleur, encore soulignées par l'effet de contre-jour, ont la même importance, me parut devoir faire l'objet d'un dessin préliminaire au fusain et comporter une étude des valeurs et des plans plus ou moins rapprochés.

365

Fig. 366.— Mettre de la couleur, absolument. Il faut d'abord couvrir la toile d'une couche ou d'une base de couleur favorisant l'évolution future du tableau.

366

comment peindre un paysage

Fig. 367 et 368.— de tous les conseils prodigués par Ingres à ses élèves, il en est un dont nous devrions toujours nous souvenir: «Un tableau réussi est celui qui, à tout moment, peut être considéré comme achevé: à l'état de dessin, d'ébauche, en cours d'exécution...» et il ajoutait: «Ne vous arrêtez pas en un point du tableau, dessinez et peignez tout à la fois, promenez-vous sur la toile, faites en sorte que le tableau avance toujours tout à la fois.»

En peignant ce paysage, je me rappelais sans cesse les propos d'Ingres et m'efforçai de les suivre. Et j'y suis parvenu, me semble-t-il, grâce aux croquis réalisés avant même d'entreprendre le tableau. A partir de ces esquisses, je commençai à me familiariser avec le thème et il me fut d'autant plus aisé, alors, de «me promener tout au long du tableau».

367

368

369

Troisième état (fig. 367)

Je commence cette troisième séance en étudiant la couleur du ciel et en éclaircissant la ligne d'horizon. J'accentue le blanc des nuages à droite. Je peins à nouveau les montagnes du fond, à la recherche de tonalités plus variées. J'ébauche le tronc des deux chênes du second plan à droite et je peins le sapin.

Puis quelques petites branches, partant de ces deux troncs verticaux et je passe au pin du Canada, situé au centre. Pour construire cet arbre, je dois repeindre ces «vides» à travers lesquels on distingue la couleur du ciel.

Quatrième état (fig. 368)

Je peins les deux petits chênes: il s'agit là d'un travail de patience qui oblige à suivre de très près ce que «dit» le modèle. Je continue par cet arbre mort ou calciné ocre-rouge, situé juste devant le sapin. Je peins les troncs d'arbre du bosquet de gauche et je pose des

éclats de lumière sur la terre et au fond.

Cinquième et dernier état (fig. 369)

Il s'agit maintenant de reconstruire, tout d'abord, le bosquet de gauche en peignant à plusieurs reprises les troncs, en éclairant la partie inférieure et en «dégageant» aussi des vides dans le feuillage des arbres, laissant entrevoir le ciel. J'ajoute de la couleur au feuillage sombre, par un mélange de bleu de Prusse, de terre de Sienne naturelle et d'ocre. Je peins les éclats de lumière sur les herbes et les plantes, le long de la palissade, au centre de la toile. Je peins la terre à nu au milieu du pré vert et les ombres portées des arbres sur la gauche; enfin, je peins à nouveau toute la surface du pré; j'indique de légères différences de ton, j'ajoute quelques fleurs afin de créer des notes de couleur blanches et rouges.

Fig. 369.— Ce tableau présente de notables différences avec le précédent. Les ombres radiales des troncs d'arbres sont un peu plus claires; la couleur de la terre, au premier plan, est plus éclatante; sur les branches et les feuilles, quelques nuances vertes ajoutent une note de lumière tout en créant le volume; toute la partie du bois située à gauche a été retravaillée, couleur et forme; enfin j'ai peint à nouveau l'étendue du pré dont j'ai brisé l'uniformité en l'émaillant de fleurs et de brindilles. Mais j'ai ajouté encore bien d'autres formes et couleurs qui ne figuraient pas jusque-là dans le tableau. C'est ainsi qu'il convient de mettre la touche finale à son oeuvre.

comment peindre une nature morte

370

371

Cette dernière démonstration sur la manière de peindre une nature morte, résumé de tout l'enseignement contenu dans cet ouvrage, constituera également un exercice pratique que je vous invite à réaliser.

La nature morte est, comme l'écrit Van Gogh à son frère Théo, *«le meilleur modèle pour apprendre à peindre»*. Elle permet également de peindre chez soi, sans témoins, avec tous les avantages que cela comporte. Il existe en outre une multitude de reproductions de natures mortes peintes par de grands maîtres, susceptibles de vous aider dans le choix du modèle, la composition, l'éclairage, etc.

Voici par exemple, sur la figure 372, ci-contre, un tableau que j'ai composé à la manière de Cézanne, le grand maître impressionniste de la nature morte. Suivant la méthode de Cézanne, j'ai disposé un compotier rempli de fruits, un vase, un verre et d'autres fruits sur une nappe blanche froissée, découvrant une partie de la table—formule préférée de Cézanne pour toutes ses natures mortes (fig. 371). Faites de même! Tâchez de découvrir chez vous un vase ressemblant à celui de Cézanne, achetez des fruits, posez l'ensemble sur une nappe... et mettez-vous à l'œuvre!

Premier état: construction initiale
Format du tableau: une toile n° 25 Figure.

372

Fig. 370.— Photographie du modèle.

Fig. 371.— Paul Cézanne, *Nature morte au rideau et au pichet à fleurs* (détail). Musée de l'Ermitage, Léningrad.

Fig. 372.— Commencez par une esquisse précise au fusain, sous forme linéaire, pour l'instant.

Dessinez le thème au fusain. Réalisez d'abord un croquis de dimensions réduites, au crayon à mine de plomb, au fusain ou à la craie, afin d'étudier formes et valeurs.

comment peindre une fleur

Mais permettez-moi une brève digression. Dans la nature morte que nous peignons en ce moment vous et moi, il y a une fleur, une rose. Les fleurs se prêtent admirablement à la peinture à l'huile. Certains pensent toutefois qu'il est difficile de peindre des fleurs: elles n'ont pas de contours bien définis — ainsi les roses, les iris, les gardénias ou d'autres fleurs telles les marguerites qui n'offrent pas de forme géométrique — et d'autre part, il faut les peindre vite, avant qu'elles ne perdent tout l'éclat de leur fraîcheur.

Or, dessiner une rose n'offre pas plus de difficultés que de dessiner une main, et les conseils prodigués page 146 au sujet de l'encadrement, du «négatif» ou des points de référence, s'appliquent parfaitement au dessin et à la construction d'une rose. Peindre une rose n'est pas plus difficile que de peindre une pomme, comme vous pourrez le constater en lisant le commentaire ci-contre.

Fig. 373.— J.M. Parramón, *Vase de fleurs en cristal.* Collection particulière. Les fleurs constituent un excellent modèle, à condition toutefois de les peindre en une seule journée, d'une ou deux séances, afin d'éviter qu'elles ne commencent à se flétrir.

Comment peindre une fleur

Fig. 374.— Je vous conseille tout d'abord d'apporter le plus grand soin au dessin des contours. A partir de ce dessin, très précis, suivez le processus ci-dessous:

374

375

376

377

Fig. 375.— En premier lieu, j'ai peint le fond, puis j'ai appliqué un vert foncé sur les feuilles et enfin un rouge ou un carmin foncé, presque uniforme, sur l'ensemble de la fleur, ce qui peut sembler paradoxal, dans la mesure où le dessin initial se trouve ainsi recouvert et comme effacé; mais il permet néanmoins de se rappeler les formes et de les traduire en peignant et dessinant tout à la fois.

Fig. 376.— Vous pouvez l'observer vous-même sur l'image suivante, j'ai appliqué des couleurs claires sur le fond carmin foncé, modelant ainsi la forme générale des pétales.

Fig. 377.— Et voici le résultat final; j'ai appliqué la même méthode pour peindre les feuilles. Observez certains détails importants: à cette ultime phase de l'œuvre, j'ai repris à nouveau le fond pour profiler les contours ou les estomper. Outre le carmin de garance foncé, le rouge et le blanc, j'ai utilisé du bleu de Prusse et de la terre d'ombre brûlée.

comment peindre une nature morte

Premier état: suite (fig. 378)

Après cette brève parenthèse sur la manière de peindre une fleur, poursuivons cette première étape; insistons sur la construction et étudions les masses colorées qui constituent l'armature du tableau.

Une fois ce dessin au fusain terminé, il faut le fixer avec un «spray» spécial.

Deuxième état (fig. 379)

Je commence à peindre par grands aplats de couleur afin de couvrir la toile: le fond, les parties grises de la nappe, le Sienne foncé de la table... afin d'éliminer les grands espaces blancs et de me rapprocher des couleurs du modèle.

Troisième état (fig. 380, page 185)

Observez sur l'illustration de la page suivante, comment se présente le tableau après cette première étude de coloris. L'œuvre progresse lentement, mais certains détails, sur les plis de la nappe, au fond, me semblent déjà achevés. Certains autres, en revanche, telle la grappe de raisin, ne cessent d'évoluer et de se modifier jusqu'à la fin — laborieuse démarche ponctuée de «repentirs».

Remarquez par ailleurs que jusque-là, j'ai peint une pêche en moins et une pomme différente.

(Comparez cette illustration avec la photographie de la figure 370, page 182).

Quatrième état (fig. 381)

J'ai cru bon, alors, d'ajouter une pêche et de modifier la pomme du premier plan. Tous les fruits ont maintenant acquis leur forme et leur couleur définitives, à l'exception de la grappe de raisin dont les contours sont encore flous, mal construits.

En ce cas précis, comme en tous les autres, il faut suivre au pied de la lettre ce que «dit» le modèle; il n'est pas souhaitable d'improviser, ni de peindre de mémoire. Une grappe de raisin présente une certaine complexité et oblige à «copier» fidèlement formes et couleurs du modèle.

Observez, à ce stade, la couleur de base de la nappe, dont la tonalité grise se prête admirablement à la distribution des ombres et des lumières, soulignant les plis et la couleur blanche du modèle (comparez avec le tableau achevé, page suivante).

Fig. 378.— Je crois qu'une construction initiale rigoureuse, sous forme d'une première esquisse linéaire, telle que je l'ai réalisée figure 372, suivie d'une étude d'ombres et de lumières, comme celle-ci, convient parfaitement à une nature morte.

Fig. 379.— Avant tout: couvrir la toile vierge, afin d'éviter les effets de faux contrastes.

378 **379**

380

Fig. 380.— Premier essai de couleur, à l'aide d'une pâte assez légère, permettant de conserver les lignes et la structure initiales. La peinture couvre déjà toute la toile et certaines modifications peuvent alors s'imposer: en premier lieu, on peut difficilement identifier la forme de la pomme au premier plan, pe-

tite, assez peu reconnaissable; en second lieu, les trois fruits du compotier, derrière le raisin (trois pêches), ont des lignes et des couleurs trop semblables, elles n'offrent aucune *variété*; la disposition des grains de raisin souffre aussi d'un excès d'*unité*; enfin, à l'arrière-plan, près du dossier de la chaise,

il faudrait un autre élément, je remarque là une sorte de vide. Tous ces défauts peuvent être corrigés, à condition toutefois de ne pas peindre en automate, mais de réfléchir, analyser, contempler, critiquer... et modifier, au besoin.

comment peindre une nature morte

Fig. 381.— Voici la solution des problèmes exposés plus haut; une vraie pomme, au premier plan gauche: trois fruits différents dans le compotier et, de plus, grappe de raisins retravaillée; j'ai ajouté enfin une pêche à l'arrière-plan, près du dossier de la chaise. D'autre part, le tableau se trouve presque à sa phase finale d'exécution; certains éléments sont pour ainsi dire achevés: les trois fruits du compotier et la pêche du fond; la grappe de raisin subira encore des modifications; le verre de vin, le vase et la rose seront peints en technique directe, lors de la dernière séance de travail. (Note: cette phase de l'œuvre a été photographiée au moment où la peinture était fraîche, encore humide, d'où les reflets et éclats de lumière visibles sur la reproduction).

Fig. 382.— Réalisation vraiment laborieuse de ce dernier stade de l'œuvre, au cours duquel j'ai dû tout d'abord retravailler entièrement la grappe de raisins, peindre du début à la fin et d'une seule traite le vase, le verre et la rose, repeindre le fond, et la partie découverte de la table au premier plan. Sans oublier la nappe. Tout cela sur des bases —les premiers états de l'œuvre— offrant au peintre l'avantage de pouvoir reprendre sa toile à loisir, grâce aux points de repère dont il a su jalonner son travail.

381

Cinquième et dernier état (fig. 382)
J'ai peint ce tableau en quatre séances de deux heures chacune, environ. Pourquoi ne pas en faire autant lors de votre prochain week-end? De toutes les leçons que je vous ai proposées au cours de cet ouvrage, ce serait la meilleure.

glossaire

A

Acrylique, peinture. Couleurs composées essentiellement de résines synthétiques, produit de la technologie moderne. Elles furent adoptées en peinture à partir des années soixante. Elles se présentent dans des tubes d'étain, sous forme de pâte onctueuse, semblable aux couleurs à l'huile. Les couleurs acryliques ont une certaine similitude avec les couleurs solubles à l'eau (aquarelle ou gouache), mais offrent toutefois une particularité: la couleur fraîchement appliquée, et donc encore humide, est soluble à l'eau mais, une fois sèche, est pratiquement indélébile.

«Alla prima». Mot italien équivalent à: «de premier jet». S'emploie pour désigner la technique de peinture directe qui mène le tableau à bien en une seule séance, sans études préliminaires ni étapes successives.

Appuie-main. Mince baguette d'une longueur de 70 à 80 cm environ, munie d'un embout arrondi, servant de point d'appui à la main qui tient le pinceau et permettant de peindre des surfaces réduites sans risquer de tacher l'ensemble.

Asymétrie. Distribution libre et intuitive des éléments d'un tableau, qui permet cependant d'équilibrer certaines parties par rapport à d'autres.

B

Baume du Canada (ou térébenthine de Venise). Résine pure utilisée au cours du vernissage, issue d'un arbre de la famille des conifères.

Bitume de Judée ou Baume de momie. Asphalte, composé goudronneux, de couleur marron foncé, utilisé aux XVII° et XVIII° siècles pour la peinture à l'huile. Il est brillant, d'une nuance chaude et plaisante à l'œil. Mais sa siccativité médiocre a gravement endommagé certains tableaux de l'époque.

Blanc d'Espagne. Nom commun donné au plâtre, composé de carbonate de chaux naturel, et qui, mélangé à de la colle, sert à l'impression des toiles et à la préparation du support.

C

Carnation. Terme désignant la peinture des couleurs et nuances de la chair.

Carton. Feuille épaisse à base de pâte à bois, habituellement de couleur grise, qu'on utilise comme support pour la peinture à l'huile. En ce cas, la préparation courante d'un carton consiste à le frotter d'ail cru. Le terme de *carton* désigne également le dessin ou projet à échelle réduite d'une peinture murale ou d'une tapisserie.

Carton entoilé. Carton recouvert de toile à peindre soigneusement collée. Le carton entoilé existe dans les dimensions de la table internationale de châssis, jusqu'au numéro 8.

Charbon, crayon à. Sert à tracer lignes ou contours estompés. De caractéristiques semblables à celles du crayon à mine de plomb, il porte différentes appellations: «Crayon Conté», «Crayon de charbon», «Crayon de fusain aggloméré». La mine est composée de charbon végétal — matériau de base —, et donne un tracé plus accusé que celui du fusain.

Châssis. Cadre de bois, démontable, présentant des caractéristiques particulières, sur lequel on monte la toile à peindre.

Cire, couleurs à la. Essentiellement à base de pigments et de colorants liés par de la cire et des matières grasses, entrant en fusion à différents degrés de température, et donnant une pâte homogène qui, une fois sèche, se présente sous forme de bâtonnets cylindriques. Ce sont des couleurs stables, utilisées par frottement. Leur pouvoir couvrant permet d'appliquer une couleur claire sur une couleur foncée et d'éclaircir cette dernière au moyen de l'autre.

Clair-obscur. Parties ou surfaces du tableau qui, tout en restant dans l'ombre, aussi profonde soit-elle, permettent de distinguer le modèle. On pourrait le définir comme l'art de peindre de la lumière dans l'ombre. Rembrandt fut l'un des grands maîtres du clair-obscur.

Clés. Petits triangles de bois, de cinq millimètres d'épaisseur environ, utilisés comme chevilles aux quatre angles d'un châssis, afin de tendre la toile.

Complémentaires, couleurs. En termes de *couleurs-lumière*, les couleurs complémentaires sont les secondaires auxquelles il suffit d'ajouter une primaire pour recomposer la lumière blanche (ou inversement). Exemple: en additionnant du bleu foncé et du jaune — ce dernier étant lui-même la somme des couleurs-lumière vert et rouge — on recompose la lumière blanche.

Contraste simultané. Effet d'optique selon lequel une couleur est d'autant plus sombre que le fond qui l'entoure est plus clair et vice versa. D'autre part, la juxtaposition de deux tonalités différentes d'une même couleur, provoque l'exaltation des deux tons, le clair s'éclaircit et le foncé s'assombrit.

Coton, toile de. Matériau servant de support à la peinture à l'huile, au même titre que la toile de lin. La toile de coton est d'une couleur plus claire, d'une trame et d'une texture moins serrées que la toile de lin; elle est plus économique. Certains fabricants teignent la toile de coton pour lui donner l'apparence du lin.

Couleur locale. C'est la couleur réelle des corps, là où elle n'est pas modifiée par des effets d'ombres et de lumières ni par la réflexion d'autres couleurs.

Couleur réfléchie. Facteur permanent, si l'on tient compte à la fois de la couleur ambiante et de la présence d'un ou de plusieurs corps.

Couleur tonale. Variante plus ou moins marquée de la couleur locale, soumise généralement à la réflexion d'autres couleurs.

Craie. Bâtonnet cylindrique ou carré qui s'emploie par frottement. Elle se compose de terres pulvérisées, broyées à l'aide d'huiles, d'eau et de substances à base de gomme. La craie ressemble au pastel, mais elle est plus stable et d'un tracé plus dur. Il existe des craies de couleur blanche, noire, Sienne claire, Sienne foncée, bleu de cobalt et outremer.

Craquelures. Crevasses ou fissures qui apparaissent sur les empâtements ou les couches de peinture à l'huile, lorsque la règle suivant laquelle il faut toujours peindre «gras sur maigre» n'a pas été respectée. Se reporter au terme «gras sur maigre».

D

Dammar. C'est l'une des résines les plus couramment utilisées dans la fabrication de vernis destinés à la peinture à l'huile; elle est issue d'une certaine variété de conifères. Elle est soluble dans l'essence de térébenthine.

E

Empâtement. Couche épaisse, dense et couvrante de peinture à l'huile. Manière caractéristique consistant à peindre avec un pinceau très chargé de pâte.

Embus. Partie ou surface d'un tableau présentant un aspect mat par rapport à d'autres surfaces brillantes, effet provoqué par l'absorption d'huile ou de vernis ou encore dû a l'action de l'essence de térébenthine.

Émulsion. Liquide permettant de maintenir en suspension des particules qui n'ont pas d'affinités entre elles. Exemple: l'émulsion destinée à la tempera, composée d'eau distillée et d'œuf. Le jaune d'œuf maintient en suspension stable l'huile et le mélange d'eau et d'albumine du blanc d'oeuf.

F

Fauvisme. Terme dérivé du mot *fauve*, appliqué pour la première fois par le critique Vauxcelles, lors d'une exposition au Salon d'Automne à Paris, en 1905. A la tête du mouvement *fauve* figurait Matisse, auquel vinrent bientôt s'ajouter Derain, Vlaminck, Marquet, Van Dongen, Dufy, etc.

Filbert. Terme servant à désigner les pinceaux plats, à pointe arrondie, plus connus sous l'appellation familière de «langue de chat».

Frottis. Terme dérivé du verbe frotter, et désignant une technique consistant à charger le pinceau d'une petite quantité de peinture épaisse et à frotter sur couche déjà sèche ou à demi sèche. On applique d'ordinaire des couleurs claires sur d'autres plus foncées.

Fusain. Baguette carbonisée de fusain, de saule, de noisetier ou de romarin, utilisée d'ordinaire pour faire des croquis.

G

Gamme. Ce mot est issu du système de notes de musique, inventé en 1028 par Guido d'Arezzo et désignant une «succession de sons parfaitement ordonnés». Il s'applique, en peinture, à la succession des couleurs du spectre. Par extension, le sens de gamme correspond, en peinture, à une «succession de couleurs ou de tons parfaitement ordonnés».

Glacis. Couche transparente de peinture à l'huile appliquée sur une surface du tableau afin de peindre une couleur ou d'en modifier une autre déjà peinte.

Godets à huile. Petits ustensiles généralement en métal, servant à contenir les diluants: essence de térébenthine et huile de lin. Le modèle classique se compose de deux godets en métal, munis à leur base d'une pince permettant de les fixer à la palette. Il existe également des godets à huile individuels composés d'un seul récipient.

Gras sur maigre. La peinture à l'huile est *grasse;* diluée à l'essence de térébenthine, elle devient *maigre.* Lorsque, par erreur, on peint maigre sur gras, la couche maigre sèche plus vite que la grasse et cette dernière, en séchant, provoque le resserrement et la contraction de la couche supérieure qui se fissure: le tableau présente alors des craquelures.

Gris optiques. Effets obtenus au moyen de glacis clairs sur fond sombre, et comparables à un dessin réalisé sur une ardoise noire, avec de la craie estompée au doigt; ce qui donne une série de gris dégradés qui transparaîtront par la suite, après application des couleurs locales, et donneront les fameux «gris optiques».

Grisaille. Peinture à base de blanc, de noir et de gris, évoquant le rond-de-bosse. On l'employa souvent pour réaliser des études et esquisses de sculptures. Par extension, le terme de peinture en grisaille désigne un tableau présentant une grande variété de nuances grisâtres.

I

Images successives. Loi établie par le physicien Chevreul, suivant laquelle «la vision de toute couleur crée, par "sympathie", l'apparition de sa complémentaire».

Impression. Couche de plâtre et de colle appliquée sur la toile et servant à la préparation du support avant l'application de peinture à l'huile.

Induction de complémentaires. Se définit en ces termes: «Pour modifier une couleur donnée, il suffit de changer celle du fond qui l'entoure.»

J

Jute, toile de. Tissu à trame épaisse, servant parfois de support pour la peinture à l'huile. La toile de jute donne une facture rugueuse, convenant à la peinture de grandes surfaces murales.

L

«Langue de chat». Expression familière servant à désigner le pinceau Filbert, plat, à pointe arrondie.

Liant. Produits liquides tels que huiles grasses, résines, baumes, cires, etc. entrant dans la fabrication des couleurs à l'huile, pour lier couleurs ou pigments.

Lin, huile de. Huile siccative extraite de la graine de lin. On l'utilise comme diluant de la peinture à l'huile, mélangée d'ordinaire à de l'essence de térébenthine.

Lin. Matériau entrant dans la fabrication des toiles pour peinture à l'huile. On le reconnaît à sa rigidité et sa couleur gris-ocre un peu foncé. Il donne des toiles de qualité supérieure.

Lit de la peinture. Ebauche initiale du tableau, peinte en

glossaire

couche relativement épaisse — ou demi-pâte —, à partir de laquelle Titien commençait le tableau proprement dit.

M

Mangouste, poil de. Les pinceaux en poil de mangouste peuvent se substituer aux pinceaux en soies de porc. Le poil de mangouste, d'origine animale comme le poil de martre, est légèrement plus dur et un peu plus raide que ce dernier. Il est d'un usage identique mais plus économique.

Martre, poil de. En peinture à l'huile, on emploie tour à tour la brosse en poil de martre et le pinceau en soie de porc. Il est souple et plus doux au toucher. Il convient parfaitement aux retouches, traits fins, formes réduites, détails, etc.

Médium. Diluant de la peinture à l'huile composé d'un mélange de résines synthétiques, de vernis siccatifs et d'essences plus ou moins volatiles. Le médium classique que l'on peut préparer soi-même, consiste à mélanger en proportions égales de l'huile de lin et de l'essence de térébenthine rectifiée.

Mordant. État d'une couche de peinture lorsqu'elle est presque sèche, à peine collante, mais qui permet l'application de fines couches de couleurs claires, en frottis; le mordant donne à la pâte une certaine résistance et assure la reprise en demi-frais.

Motif. Acception moderne du mot «thème», introduit par les impressionnistes pour désigner un modèle pris sur le vif, tel qu'il se présente dans la vie de tous les jours.

N

Noix, huile de. Diluant de la peinture à l'huile produit par pressage de noix mûres; très fluide, de siccativité médiocre, elle convient spécialement à un style exigeant la précision du trait et un fini minutieux.

O

OEillette, huile d'. Extraite de la graine de pavot, elle sert essentiellement à la composition des couleurs à l'huile. Elle convient en particulier à la peinture de glacis.

P

Palette. Surface sur laquelle on peut disposer et mélanger les couleurs. Elle peut être rectangulaire ou ovale; les plus couramment utilisées sont en bois; il en existe toutefois en plastique et en papier. Le terme de *palette* désigne également la gamme de couleurs employée par un peintre.

Panneau. Terme servant à désigner le support en bois d'une peinture à l'huile, à la gouache, acrylique, etc. Dans le passé, on employait du bois de peuplier blanc, en Italie; de chêne rouvre en Flandres et de rouvre, hêtre, noyer, cèdre ou châtaignier en Espagne. A notre époque, on lui préfère le bois d'acajou.

Perspective. Science qui représente sous forme graphique les effets de la distance sur les dimensions, les contours et les couleurs de l'objet perçu. La perspective linéaire représente la troisième dimension ou profondeur, au moyen de lignes et de formes; la perspective aérienne traduit cette même profondeur par les couleurs, les valeurs de tons et les contrastes.

Pigment. Tous les ingrédients qui, mélangés avec un liant, servent à la préparation des couleurs permettant de peindre. Les pigments se présentent d'ordinaire sous forme de poudre, d'origine organique ou minérale.

Plomb, mine de. Terme servant à désigner le crayon ordinaire composé de bois de cèdre et d'une mine à base de graphite et d'argile.

Porte-châssis ou porte-toiles. Appareil composé de deux montants de bois, muni d'un étau métallique et de vis qui rendent possible la fixation de deux toiles avec châssis, maintenues à distance l'une de l'autre. On peut ainsi transporter un tableau fraîchement peint sans risquer de le tacher. (Voir fig. 156).

Primaires. Couleurs fondamentales du spectre solaire. Le rouge, le vert et le bleu vif sont des *primaires-lumière;* le bleu cyan, le pourpre et le jaune sont des *primaires-pigment.*

Procédé. Terme en usage pour distinguer une technique de peinture. Exemple: l'huile est un procédé au même titre que l'aquarelle.

R

Rabattues, couleurs. Couleurs résultant du mélange de deux complémentaires en proportions inégales, et de blanc.

Repentir. Terme servant à désigner les retouches ou la reprise d'une partie importante du tableau, et signifiant que l'artiste se repent de ce qu'il a déjà peint. Les célèbres «repentirs» de Vélasquez ont été récemment découverts grâce aux rayons infrarouges.

Résine. Substance gommeuse d'origine naturelle ou synthétique produite par certaines plantes, qui durcit au contact de l'air. Sert à composer les vernis.

S

Sanguine. Bâtonnet de craie de forme carrée et de teinte sépia rougeâtre, aux mêmes caractéristiques que le pastel mais plus compact et plus dur. La sanguine est un procédé permettant de dessiner par frottement, en recourant à des techniques identiques à celles du fusain et du pastel. Elle se présente également sous forme de crayon.

Secondaires. Couleurs du spectre produites par le mélange, deux par deux, des couleurs primaires. Les *secondaires-lumière* sont le bleu cyan, le pourpre et le jaune. Les *secondaires-pigment* sont le rouge, le vert et le bleu vif.

Semences. Petits clous courts et très pointus, à tête large et plate, utilisés pour fixer la toile sur le châssis. Actuellement on se sert plutôt d'agrafes en métal.

Sfumato (estompé). Terme italien appliqué à la peinture de Léonard de Vinci qui recommandait de dégrader et d'estomper les contours.

Siccatif. Solution ajoutée aux couleurs à l'huile afin d'obtenir un séchage plus rapide. Il n'est pas souhaitable de l'employer en quantité excessive, sous peine de nuire à la conservation de la peinture.

Support. Toute surface permettant de réaliser une œuvre picturale. Exemples: toile, panneau, papier, carton, mur, etc.

Symétrie. Se rapporte à la composition artistique et se définit comme «la répétition des éléments du tableau de chaque côté d'un point ou axe central».

T

Tempera, peinture à la. L'un des plus anciens procédés picturaux, en usage dès le XII° siècle, et amplement commenté aux XIV° et XV° siècles par Cennino Cennini. Il se caractérise par l'emploi de jaune d'œuf comme diluant et liant de terres de couleur.

Térébenthine, essence de. Huile maigre, légère, volatile, utilisée comme diluant de la peinture à l'huile. Mélangée en proportions égales à de l'huile de lin, elle constitue un *médium* classique; employée seule, elle donne un fini mat.

Tertiaires. Série de six *couleurs-pigment,* obtenues grâce au mélange par paires, de primaires et de secondaires. Les couleurs-pigment tertiaires sont l'orangé, le carmin, le violet, le bleu outremer, le vert émeraude et le vert clair.

V

Valeur. Relation existant entre les différents tons d'un même corps. L'étude de valeurs consiste à comparer et à indiquer les effets d'ombre et de lumière au moyen de tons différents.

«Verdaccio». Couleur à l'huile utilisée par les maîtres du passé, à la première phase de construction du tableau, appliquée avec un diluant. Le «verdaccio» était un mélange de blanc, de noir et d'ocre.

Virole. Anneau métallique enserrant les soies du pinceau.

Vernis de protection. Vernis appliqué sur le tableau achevé et sec afin de le protéger.

Vernis de retouche. S'emploie pour retoucher les surfaces du tableau offrant une apparence trop mate par rapport à la peinture brillante de l'ensemble. Ces différences d'éclat entraînent également des variations tonales qui disparassent sous l'action du vernis de retouche.

Z

Zénithale, lumière. Lumière diffuse éclairant le modèle par le haut.